Discurso sobre a economia política

Dados Internacionais de Catalogação na Publicação (CIP)
(Câmara Brasileira do Livro, SP, Brasil)

Rousseau, Jean-Jacques, 1712-1778.
  Discurso sobre a economia política /
Jean-Jacques Rousseau ; tradução de Maria
Constança Peres Pissarra. – Petrópolis, RJ :
Vozes, 2017. – (Vozes de Bolso)

  Título original : Discours sur l'économie
politique
  ISBN 978-85-326-5348-2

  1ª reimpressão, 2018.

  1. Ciência política 2. Economia política
  3. Economia política – Obras antes de 1800
I. Título.

16-07440   CDD-330

Índices para catálogo sistemático:
  1. Economia política   330

Jean-Jacques Rousseau

Discurso sobre a economia política

Tradução de Maria Constança Peres Pissarra

Vozes de Bolso

Título original em francês: *Discours sur l'Économie Politique*

© desta tradução:
1995, 2017, Editora Vozes Ltda.
Rua Frei Luís, 100
25689-900 Petrópolis, RJ
www.vozes.com.br
Brasil

Todos os direitos reservados. Nenhuma parte desta obra poderá ser reproduzida ou transmitida por qualquer forma e/ou quaisquer meios (eletrônico ou mecânico, incluindo fotocópia e gravação) ou arquivada em qualquer sistema ou banco de dados sem permissão escrita da editora.

CONSELHO EDITORIAL

Diretor
Gilberto Gonçalves Garcia

Editores
Aline dos Santos Carneiro
Edrian Josué Pasini
Marilac Loraine Oleniki
Welder Lancieri Marchini

Conselheiros
Francisco Morás
Ludovico Garmus
Teobaldo Heidemann
Volney J. Berkenbrock

Secretário executivo
João Batista Kreuch

Editoração: Flávia Peixoto
Diagramação: Sheilandre Desenv. Gráfico
Revisão gráfica: Clauzemir Makximovitz
Capa: visiva.com.br
Arte-finalização: Ygor Moretti
Ilustração de capa: ©mycteria | Shutterstock

ISBN 978-85-326-5348-2

Editado conforme o novo acordo ortográfico.

Este livro foi composto e impresso pela Editora Vozes Ltda.

Sumário

Nota da tradutora, 7

Discurso sobre a economia política, 9

Notas, 57

Nota da tradutora

O texto de Rousseau utilizado para a tradução encontra-se na edição das suas obras, dirigida por Bernard Gagnebin e Marcel Raymond: ROUSSEAU, J.J. *Oeuvres complètes* – Bibliothèque de la Pléiade. 4 vol. Paris: Gallimard, 1959. Assim, será sempre identificada através da referência *Pléiade*, indicando a seguir o volume e a página. A edição original desse texto, conforme indicação dos próprios organizadores, foi a seguinte:

- *Discours sur l'Economie Politique*: tomo V da *Encyclopédie* de 1755, acrescentadas as correções registradas na errata da *Encyclopédie*; esse texto foi complementado com as anotações do ms. 7840 de Neuchâtel e das edições das *Oeuvres complètes* de 1782.

A grafia original foi respeitada, sempre que possível, mantendo também as iniciais maiúsculas no interior dos parágrafos. Todos os verbetes citados por Rousseau no DEP fazem parte da *Encyclopèdie ou Dictionnaire Raisonné des Sciences, des Arts et des Métiers, par une Société de Gens de Lettres*.

As notas indicadas numericamente são da tradutora. A redação das notas apoiou-se principalmente nas anotações de comentadores de edições críticas das obras de Rousseau:

- C.E. Vaughan. Oxford: B. Blackwell, 1962.
- Maurice Halbwachs. Paris: Aubier, 1943.

- Robert Derathé. Paris: Gallimard, 1964.
- R. Masters. Princeton. Princeton University Press, 1968.
- Bertrand de Jouvenel. Paris: Le Livre de Poche, 1978.

Abreviação utilizada

DEP – Discurso sobre a economia política

Discurso sobre a economia política

Economia ou œconomia (moral e política) – esta palavra deriva de οἶκος *casa*, e de νόμος *lei*, tendo significado originariamente o sábio e legítimo governo da casa voltado para o bem comum de toda a família. Posteriormente, esse termo teve seu significado estendido ao governo da grande família que é o Estado. Para melhor distinguir as duas concepções, a essa última chama-se *economia geral* ou *política* e à primeira *economia doméstica* ou *particular*[1]. Este artigo trata apenas da primeira. A respeito da *economia doméstica*, *veja-se* PAI DE FAMÍLIA[2].

Mesmo que houvesse entre o Estado e a família tantas relações como pretendem vários autores, não se poderia deduzir daí que as regras de conduta próprias a uma dessas sociedades fossem convenientes a outra: diferem muito em dimensão para que possam ser administradas da mesma forma e haverá sempre uma extrema diferença entre o governo doméstico, onde o pai pode ver tudo por si mesmo, e o governo civil, onde o chefe não vê nada a não ser pelos olhos dos outros. Para que houvesse uma equivalência nesse assunto, seria necessário que as qualidades, a força e todas as faculdades do pai aumentassem em função da dimensão da família, e que a alma de um poderoso monarca equivalesse à de um homem comum, na mesma medida que a extensão de seu império pudesse equivaler à herança de um particular.

Mas, sendo o fundamento tão diferente, como o governo do Estado poderia ser semelhante ao da família?[3] Com razão, o poder paternal é aceito como tendo sido estabelecido por natureza, uma vez que o pai é fisicamente mais forte que seus filhos e estes necessitam de sua proteção por muito tempo. Na grande família, onde os membros são naturalmente iguais, apenas a convenção pode fundamentar a autoridade política puramente arbitrária quanto à sua instituição, e o magistrado só pode comandar os outros em virtude das leis[4]. Os deveres do pai são ditados por sentimentos naturais e num tom que raramente permite a desobediência. Para os chefes não existe tal regra e só estão compromissados com o povo naquilo que lhe prometeram, que por essa razão apenas pode exigir o cumprimento dessas promessas. Uma outra diferença, ainda mais importante, é que, tendo as crianças só o que recebem do pai, é dele que partem – ou a ele pertencem – todos os direitos de propriedade; já na grande família tudo se passa ao contrário: a administração geral foi estabelecida apenas para assegurar a propriedade particular que é anterior a ela. O principal objetivo de todo trabalho da casa é conservar e aumentar o patrimônio do pai, para que um dia possa ser dividido entre seus filhos, evitando-lhes a pobreza, enquanto a riqueza do fisco não passa de um meio – frequentemente mal compreendido – para manter os particulares em paz e com abundância. Resumindo, a pequena família está destinada a extinguir-se e a desdobrar-se um dia em outras famílias semelhantes; mas como a grande foi feita para permanecer da mesma forma, é preciso que a primeira aumente para multiplicar-se, e não basta somente que a outra se conserve, mas pode-se facilmente provar que todo acréscimo lhe é mais prejudicial do que útil.

Por várias razões de ordem natural, o pai deve comandar a família. 1) Primeiramente, a autoridade não deve ser igual entre o pai e a mãe, mas é necessário que o governo da casa seja uno e que nas divergências de opinião haja uma voz preponderante, que decida. 2) Por mais leves que se imaginem os incômodos próprios de uma mulher, como sempre implicam um intervalo de inatividade, essa é uma razão suficiente para excluí-la da primazia: quando a balança está perfeitamente equilibrada, uma palha é suficiente para fazê-la pender para um dos lados. Além disso, o marido deve inspecionar a conduta de sua mulher, porque deve assegurar-se de que os filhos, que é obrigado a reconhecer e a alimentar, não pertençam a outros e sim a ele. Como a mulher não tem nada de semelhante a perder, não tem o mesmo direito sobre o marido. 3) Os filhos devem obedecer ao pai, primeiro por necessidade, depois por reconhecimento[5]: após ter recebido dele a manutenção para suas necessidades durante a metade da sua vida, devem consagrar a outra metade a amparar as dele. 4) Com relação aos criados: estes também lhe devem seus serviços em troca da assistência que recebem dele, a não ser quando ele mesmo julgar conveniente romper o trato. Não estou falando da escravidão, que é contrária à natureza e que nenhum direito pode autorizar[6].

Nada disso acontece na sociedade política. Longe do chefe ter algum interesse natural pela felicidade dos particulares, não raro procura alcançar a sua por meio da miséria deles. Se a magistratura é hereditária, é frequente uma criança comandar homens; se é eletiva, muitos inconvenientes ocorrem nas eleições, e tanto em um caso como no outro perdem-se as vantagens da paternidade. Quando se tem apenas um chefe, fica-se à disposição de um senhor que não tem qualquer razão para amar seus súditos; se há mais do que um, às vezes é preciso suportar a tirania que daí decorre e suas divisões. Em uma palavra, quando o interesse público e as leis não têm nenhuma força natural, os abusos são inevitáveis e suas consequências, funestas para a sociedade inteira, sendo frequentemente movidos pelo interesse pessoal e pelas paixões do chefe e dos demais membros do governo.

Embora as funções do pai de família e do primeiro magistrado devam tender para o mesmo objetivo, os caminhos utilizados são diferentes; seu dever e seus direitos são de tal forma distintos que não se pode confundi-los sem que se formem falsas ideias sobre as leis fundamentais da sociedade e sem que se caia em erros fatais para o gênero humano. De fato, se a voz da natureza é o melhor conselho que um bom pai deve escutar para melhor cumprir seus deveres, para o magistrado ela não passa de um falso guia, que trabalha sem cessar para afastá-lo das suas obrigações e conduz cedo ou tarde a uma perda, sua e do Estado, se não for detido pela mais sublime virtude. A única precaução necessária ao pai de família é garantir-se de não agir contra a natureza e impedir que se corrompam suas inclinações naturais; mas são exatamente elas que podem corromper o magistrado. Para agir acertadamente, o primeiro só precisa consultar o seu coração; o outro torna-se um traidor quando escuta o seu: por isso deve suspeitar de sua própria razão, sem ater-se a outra regra que não a razão pública, isto é, a lei. A natureza faz vários bons pais de família, mas é duvidoso que desde a formação do mundo a sabedoria humana tenha feito mais do que dez homens capazes de governar seus semelhantes.

A partir do exposto, pode-se afirmar que é correta a distinção proposta no início entre *economia pública* e *economia particular*, e que as mesmas regras de conduta não convêm ao Estado e à família, que em comum têm apenas a obrigação de ambos os chefes de procurar a felicidade. Creio que essas poucas linhas são suficientes para derrubar o odioso sistema que o cavaleiro Filmer procurou estabelecer na obra intitulada *Patriarcha*[7], que teve a honra de ser refutada em livros por dois homens ilustres; de resto, esse erro é muito antigo, pois o próprio Aristóteles considerou oportuno combatê-lo, por razões que estão expostas no primeiro livro das suas *Políticas*[8].

Ainda é preciso insistir com os leitores para que distingam claramente a *economia política*, de que falei e que chamo de *governo*, da autoridade suprema, que chamo de *soberania*; distinção que consiste em que a primeira possui o direito legislativo, e obriga em alguns casos a nação como um todo, enquanto a segunda só tem o poder executor[9] e só pode obrigar os particulares. Veja-se POLÍTICA e SOBERANIA[10].

Por um momento gostaria de fazer uma comparação comum e pouco exata, em vários sentidos, mas propícia para melhor me fazer entender.

O corpo político, tomado individualmente, pode ser considerado como um corpo organizado, vivo e semelhante ao do homem. O poder soberano representa a cabeça; as leis e os costumes são o cérebro, origem do sistema nervoso e sede do entendimento, da vontade e dos sentidos, dos quais os juízes e os magistrados são os órgãos; o comércio, a indústria e a agricultura são a boca e o estômago, que produzem a subsistência comum; as finanças públicas são o sangue que uma *economia* sábia, fazendo as funções do coração, reenvia a todo o corpo, distribuindo a comida e a vida; os cidadãos são o corpo e os membros que fazem movimentar, viver e trabalhar a máquina, de modo que qualquer ferimento que esta sofra em uma de suas partes, imediatamente uma sensação de dor seria levada ao cérebro por meio de uma impressão dolorosa, se o animal estiver em perfeito estado de saúde[11].

A vida de um e de outro é o *eu* comum ao todo, a sensibilidade recíproca e a correspondência interna entre todas as partes. Se essa comunicação cessa, se a unidade formal é desfeita e as partes contíguas encontram-se numa simples relação de justaposição? O homem está morto ou o Estado desfeito.

Então, o corpo político é também um ser moral[12], dotado de uma vontade; e essa vontade geral que tende sempre à conservação e ao bem-estar do todo e de cada parte e que é a fonte das leis, é para todos os membros do Estado a regra do justo e do injusto. Apenas para lembrar: isso mostra com que propriedade tantos escritores[13] trataram como roubo a sutileza prescrita às crianças da Lacedemônia para ganhar sua refeição frugal, como se aquilo que a lei ordena pudesse não ser legítimo[14]. Veja-se o verbete DIREITO[15], que é fonte desse grande e luminoso princípio e de cujo desenvolvimento resultou este artigo.

É importante notar que essa regra de justiça, válida em relação a todos os cidadãos, pode ser facultativa quanto aos estrangeiros, e o motivo é evidente. Embora a vontade do Estado seja geral em relação a todos os seus membros, não o é em relação aos outros Estados e a seus respectivos membros, tornando-se para eles uma vontade particular e individual cuja regra de justiça deriva da lei natural, o que recai igualmente sobre o princípio estabelecido. Assim, a grande cidade do mundo[16] torna-se o corpo político cuja lei da natureza é sempre a vontade geral, de que os Estados e os diferentes povos só são os membros individuais.

Dessas mesmas distinções, aplicadas a cada sociedade política e a seus membros, decorrem as regras mais universais e as mais certas em relação às quais se possa julgar um bom ou mau governo e, em geral, a moralidade de todas as ações humanas.

Toda sociedade política é composta por outras sociedades menores, de diferentes tipos, cada uma com seus interesses e suas máximas; mas tais sociedades, que cada um percebe porque têm uma forma exterior e autorizada, não são as únicas que existem realmente no Estado. Todos os indivíduos, reunidos por um interesse comum, compõem tantas outras permanentes ou passageiras, cuja força não é menos real por ser menos aparente; e suas diversas relações, se bem observadas, proporcionam o verdadeiro conhecimento dos costumes. As aparências da vontade pública são modificadas de várias formas pela influência da vontade de todas essas associações tácitas ou formais. A vontade dessas sociedades particulares tem sempre duas relações: para os seus próprios membros, é uma vontade geral, para o conjunto da sociedade, uma vontade particular, frequentemente reta, no primeiro caso, e viciosa, no segundo. Qualquer um pode ser ao mesmo tempo um padre devoto, um soldado valente ou um médico zeloso e um mau cidadão. Tal deliberação pode ser vantajosa à pequena comunidade e muito perniciosa à grande. É certo que por estarem estas sociedades particulares subordinadas àquelas que as incluem, convém antes obedecer a estas do que às outras, da mesma forma que os deveres do cidadão vêm antes dos do senador e os do homem, antes dos do cidadão. Mas infelizmente o interesse pessoal se encontra sempre em proporção inversa ao dever e aumenta à medida que a associação se torna mais estreita e o compromisso menos sagrado; essa é uma prova indiscutível de que a vontade geral é sempre a mais justa e de que a voz do povo é de fato a voz de Deus.

Não se pode inferir daí que as deliberações públicas sejam sempre equitativas, pois quando se trata de assuntos externos isso nem sempre acontece, como já expliquei. Assim, não é impossível que uma república bem governada faça uma guerra injusta. Também não é difícil que o conselho de uma democracia promulgue maus decretos ou condene os inocentes: mas isso só ocorrerá, quando o povo for seduzido por interesses particulares, apresentados como os interesses do povo por alguns homens hábeis, valendo-se do seu prestígio e eloquência. Então, uma coisa será a deliberação pública, e outra a vontade geral. De nada adianta opor a isso a democracia de Atenas, porque Atenas não era de fato uma democracia, mas uma aristocracia muito tirânica, governada por sábios e oradores. Examinando com cuidado o que se passa em qualquer deliberação, vê-se que a vontade geral sempre diz respeito ao bem comum; mas frequentemente ocorre uma divisão secreta, uma união tácita, que por objetivos particulares ilude a tendência natural da assembleia. Então, o corpo social se divide realmente em outros, cujos membros têm uma vontade geral boa e justa em relação a esses novos corpos, mas injusta e má em relação ao todo do qual cada um deles se desmembra.

Graças a esses princípios, vê-se com que facilidade se explicam as aparentes contradições perceptíveis na conduta de tantos homens cheios de escrúpulos e de honra em relação a um aspecto, enganosos e superficiais, porém, em relação a outros, desprezando os deveres mais sagrados, e fiéis até a morte a compromissos frequentemente ilegítimos. É assim que os homens mais corrompidos homenageiam sempre a confiança pública: é assim – como está assinalado no *verbete* DIREITO[17] – que mesmo os desonestos, que são os inimigos da virtude na grande sociedade, adoram seu simulacro nas suas cavernas.

Ao estabelecer a vontade geral como primeiro princípio de *economia* pública e como regra fundamental do governo, não julguei necessário examinar seriamente se os magistrados pertencem ao povo ou o povo aos magistrados e se, nos negócios públicos, deve-se consultar o bem do Estado ou o dos chefes. Há muito tempo que essa questão é decidida em um sentido, na prática, e em outro, pela razão; além de que, seria uma grande loucura esperar que aqueles que são especialistas no assunto preferissem um outro interesse que não o seu. Então, deve-se dividir a *economia* pública em popular e tirânica[18]. A primeira corresponde a todo Estado onde reina unidade de interesses e de vontade entre o povo e os chefes; a outra, existirá necessariamente em todo lugar onde o povo e o governo tiverem interesses diferentes, e, consequentemente, vontades opostas. As máximas referentes a este último tipo estão inscritas nos arquivos da história e nas sátiras de Maquiavel. As outras só se encontram nos escritos dos filósofos que ousam exigir os direitos da humanidade.

I – A primeira e a mais importante máxima do governo legítimo ou popular, ou seja, daquele que tem por objetivo o bem do povo, é – como já disse – seguir em tudo a vontade geral; mas, para segui-la, é necessário conhecê-la e, sobretudo, distingui-la da vontade particular, a começar por si mesmo; distinção sempre muito difícil de fazer, e para a qual só a mais sublime virtude pode proporcionar luzes suficientes. Como para querer é necessário ser livre, uma outra dificuldade, não muito menor, é assegurar ao mesmo tempo a liberdade pública e a autoridade do governo. Os homens – que na grande sociedade já estavam unidos por suas necessidades mútuas – foram levados a se juntarem mais estreitamente através das sociedades civis, apenas para assegurar os bens, a vida, e a liberdade de cada membro pela proteção de todos[19]. Ora, como forçar os homens a defender a liberdade de um deles sem se preocupar com a dos outros? E como atender às necessidades públicas sem alterar a propriedade particular daqueles que são forçados a colaborar com elas? Não importa quais sejam os sofismas com que se possa colorir a situação; o certo é que se alguém pode reprimir minha vontade, não sou mais livre, e deixo de ser senhor de meus bens, se qualquer outra pessoa pode atingi-los. Essa dificuldade que pode parecer intransponível foi superada junto com a primeira, através da mais sublime de todas as instituições humanas ou, principalmente, por uma inspiração celeste que ensinou o homem neste mundo a imitar os decretos imutáveis da divindade. Que arte inconcebível é essa por meio da qual se pode subjugar os homens para torná-los livres; empregar a serviço do Estado os bens, os braços, e mesmo a vida de todos os seus membros, sem reprimi-los e sem consultá-los; acorrentar sua vontade através de sua própria confissão; fazer valer seu consentimento contra sua recusa e forçá-los a se punirem a si próprios, quando fazem o que não queriam? Como se pode, ao mesmo tempo, fazer que obedeçam e que ninguém os comande, que sirvam e que não tenham senhor, sendo de fato mais livres sob uma aparente sujeição onde ninguém perde parte da sua liberdade, a não ser naquilo que pode prejudicar a do outro? A lei é a única responsável por esses prodígios. Os homens devem apenas à lei a justiça e a liberdade. É esse órgão salutar da vontade de todos que restabelece, por meio do direito, a igualdade natural dos homens. É essa voz celeste que dita a cada cidadão os preceitos da razão pública e ensina-o a agir de acordo com as máximas de seu próprio juízo e a não entrar em contradição consigo mesmo. Da mesma forma, é tão somente a ela que os chefes devem fazer falar quando comandam, porque se um homem pretende submeter um outro à sua vontade particular, independentemente das leis, deixa por um instante o estado de sociedade e se coloca em relação a ele em estado puro de natureza, onde a obediência é prescrita pela necessidade.

Assim, o maior interesse do chefe, tanto quanto seu dever mais indispensável, é garantir a observação das leis das quais é ministro e sobre as quais está fundada sua autoridade. Se faz com que sejam observadas pelos outros, com maior razão ainda deverá observá-las, uma vez que desfruta de todos os seus favores, já que seu exemplo tem tal força que, ainda que o povo quisesse suportar que o chefe o libere do jugo da lei, deveria desconfiar de prerrogativa tão perigosa que rapidamente outros por sua vez tratariam de usurpá-la, e frequentemente em seu próprio prejuízo. Como, no fundo, todos os compromissos da sociedade são recíprocos por sua natureza, não é possível colocar-se acima da lei sem renunciar às suas vantagens, e ninguém deve algo àquele que afirma não dever nada a outrem. Pela mesma razão, em um governo bem policiado[20], jamais será dada alguma isenção por conta de qualquer desculpa. Os próprios cidadãos que a pátria homenagear devem ser recompensados pelas honras e nunca pelos privilégios, pois a república estará à véspera de sua ruína, se alguém puder pensar que é bom não obedecer às leis: mas tudo estaria irremediavelmente perdido, se a nobreza, os militares ou qualquer outra ordem do Estado adotasse algum dia semelhante máxima.

A eficácia das leis depende muito mais de sua própria sabedoria do que da severidade de seus ministros, e a vontade pública tira seu peso maior da razão que a ditou: é por isso que Platão[21] vê como uma precaução muito importante que se coloque sempre no cabeçalho dos editos um preâmbulo bem-argumentado, que mostre sua justiça e utilidade. De fato, a primeira das leis é respeitá-las: o melhor dos castigos não passa de recurso vão imaginado por espíritos pequenos para substituir pelo terror o respeito que não podem obter. Observa-se com frequência que nos países onde os suplícios são mais terríveis sua aplicação é mais constante, de maneira que a crueldade das penas nada mais indica do que a abundância de infratores. Punindo todos com a mesma severidade, forçam-se os culpados a cometerem crimes para escapar à punição de suas faltas[22].

Mas, mesmo que o governo não seja o senhor da lei, já é muito ser o seu guardião e ter diferentes meios de fazê-la respeitada. É simplesmente nisso que consiste o talento de reinar. Não há arte em fazer tremer a todos ou em ganhar os corações, quando se tem a força na mão; pois a experiência há muito tempo ensinou o povo a ter em grande conta seus chefes, por todo mal de que são poupados, e a adorá-los, quando não são odiados. Um imbecil obediente pode, como qualquer outro, punir as confusões, mas o verdadeiro homem de Estado sabe como preveni-las: é que seu respeitável império se estende muito mais sobre as vontades do que sobre as ações. Se ele puder conseguir o bem-estar de todos, não terá mais nada a fazer, e o coroamento de seu trabalho será poder manter-se com tranquilidade. Ao menos uma coisa é certa: o maior talento dos chefes é dissimular seu poder para torná-lo menos odioso, e conduzir o Estado de forma tão aprazível, que pareça não haver necessidade de dirigentes.

Concluo, então, que da mesma forma que o primeiro dever do legislador é adequar as leis à vontade geral, a primeira regra de *economia* pública é administrar de acordo com as leis[23]. E dessa forma, para um bom governo do Estado, bastará que o legislador considere toda a exigência derivada das regiões, o clima, o sol, os costumes, a vizinhança e todas as circunstâncias próprias do povo que deverá instituir. O que não quer dizer que ainda não falte uma infinidade de detalhes de polícia[24] e de *economia* a cargo da sabedoria do governo, se bem que sempre disporá de duas regras infalíveis para bem se conduzir nessas ocasiões: uma é o espírito da lei aplicável aos casos previstos por ela; a outra é a vontade geral, fonte e suporte de todas as leis, que deve ser sempre consultada, em caso de dúvida. Alguém poderá perguntar-me: Como se pode conhecer a vontade geral nos casos em que ela não está clara? Será necessário reunir toda a nação a cada acontecimento imprevisto? Quanto mais certo estiver o governo de que sua decisão expressa a vontade geral, menos será necessário reuni-la; essa alternativa é impraticável num grande povo e raramente é necessária quando o governo é bem-intencionado, pois os chefes sabem que a vontade geral é sempre partidária do interesse público, isto é, da equidade, de maneira que é necessário apenas ser justo para se estar seguro de seguir a vontade geral. Apesar do freio terrível da autoridade pública, ela se manifesta, quando se contradiz abertamente. Tentarei apontar da maneira mais fiel possível os exemplos mais úteis em semelhante caso. Na China, o príncipe tem por princípio regular não dar razão aos seus oficiais em todas as altercações que ocorrem entre eles e o povo. O pão está caro numa província? Então o intendente é preso. Em outra ocorre uma dívida? Logo o governador é cassado e cada mandarim responde com sua cabeça por todo mal que ocorre na sua jurisdição. Não se trata de examinar a seguir o ocorrido num processo regular, pois uma longa experiência previne o julgamento. Nesse caso, raramente se tem qualquer injustiça a reparar, e o imperador, persuadido de que o clamor popular jamais se manifesta em vão, sempre sabe descobrir entre os gritos sediciosos que ele pune as críticas justas que são atendidas.

Já é fazer muito conseguir que a ordem e a paz reinem em toda a república, bem como a tranquilidade do Estado e o respeito à lei. Mas, se nada mais for feito, haverá mais aparência do que realidade e o governo dificilmente se fará obedecer, se só está preocupado com a obediência. Se é bom saber valer-se dos homens tais como eles são, melhor ainda é transformá-los naquilo que se tem necessidade de que sejam; a autoridade mais absoluta é a que penetra até o interior do homem e que se exerce igualmente sobre a vontade e sobre as ações. É certo que há muito os povos são como o governo os faz ser: quando quer, seus membros podem ser guerreiros, cidadãos, homens; ou então, quando lhe agrada, são populacho e gentinha. E todo príncipe que despreza seus súditos desonra-se a si mesmo, ao mostrar que não soube torná-los estimáveis. Para se comandar homens é preciso formá-los e para que obedeçam às leis é preciso fazer leis que possam ser amadas, de forma que para cumprir o que se deve baste acreditar que se deve fazê-lo. Essa era a grande arte dos governos antigos, nesses tempos remotos onde os filósofos prescreviam leis aos povos e só empregavam sua autoridade para torná-los sábios e felizes, admitindo ou rejeitando com o máximo cuidado muitas leis suntuárias[25], regulamentos sobre os costumes, e máximas. Mesmo os tiranos não esqueceram essa importante faceta da administração, de modo que estavam tão atentos à corrupção dos costumes dos seus escravos quanto os magistrados à correção dos costumes de seus cidadãos. Mas nossos governos modernos, que acreditam terem feito tudo, quando obtêm dinheiro, não são nem capazes de imaginar que é necessário ou possível alcançar tal estágio.

II – A segunda regra essencial da *economia* pública não é menos importante que a primeira: Deseja-se a realização da vontade geral? Deve-se então fazer com que todas as vontades se reportem a ela; e como a virtude nada mais é do que essa conformidade da vontade particular à geral – para resumir tudo em uma única palavra – basta fazer reinar a virtude.

Se os políticos não estivessem tão cegos por sua ambição, perceberiam como é impossível manter qualquer estabelecimento – não importa qual – segundo o espírito de sua instituição, se não é dirigido pela lei do dever; saberiam que o maior fundamento da autoridade política está no coração dos cidadãos e que nada pode superar os costumes[26] na manutenção do governo. Não haveria apenas pessoas de bem que saibam administrar as leis, mas também pessoas honestas para obedecer a elas. Aquele que desafia os remorsos não demorará muito a lamentar os suplícios, que são castigos menos rigorosos, menos contínuos e em relação aos quais se tem pelo menos a esperança de escapar. E, mesmo que se tomem algumas precauções, aqueles que só desejam a impunidade para fazer o mal, não deixam de encontrar meios de enganar a lei ou de escapar à pena. Assim, quando todos os interesses particulares se voltam contra o interesse geral que não é mais o de um indivíduo, os vícios públicos têm mais força para enfraquecer as leis do que as leis para reprimir os vícios; de modo que, ao final, a corrupção do povo e dos chefes alcança o governo, por mais sábio que ele seja: o pior de todos os abusos é o de somente obedecer aparentemente às leis para melhor desrespeitá-las com total segurança. Logo as melhores leis tornam-se as mais funestas e nesse caso seria cem vezes melhor que não existissem; esse é um recurso possível quando não restar mais nada. Numa situação semelhante promulgam-se éditos após éditos, regulamentos após regulamentos, o que só serve para introduzir outros abusos, sem que se corrijam os primeiros. Quanto mais se multiplicam as leis, mais elas se tornam desprezíveis: e todos que são instituídos vigilantes serão apenas novos infratores destinados a dividir com os antigos, ou a fazer à parte sua pilhagem. Rapidamente o preço da virtude torna-se o do roubo: os homens mais vis passam a ser os que têm mais crédito; os mais nobres são os mais desprezados; sua infâmia choca-se com sua dignidade e as honrarias os desonram. Se compram os votos dos chefes ou a proteção das mulheres, é por sua vez para vender a justiça, o dever e o Estado; e o povo, que não está a par de que seus vícios são a primeira causa de seus males, murmura e clama entre gemidos: "Todos os meus males resultam daqueles a quem pago para me protegerem deles".

É por isso que os chefes são obrigados a substituir a voz do dever que não fala mais ao coração, pelo grito de terror ou pelo artifício de um interesse aparente por meio do qual enganam seus súditos, e se faz necessário recorrer a todas as pequenas e desprezíveis astúcias por eles chamadas de *máximas de Estado* e *mistérios de gabinete*. Todo o vigor que resta ao governo é empregado em vão por seus membros em superar-se uns aos outros, enquanto os negócios permanecem abandonados ou só se realizam na medida em que há interesse pessoal e da maneira que este determina. Enfim, toda habilidade desses grandes políticos está em de tal modo fascinar aqueles que lhes são necessários, que todos acreditem trabalhar em seu interesse, quando na realidade trabalham pelo *deles*; digo o deles, uma vez que, de fato, o verdadeiro interesse dos chefes é aniquilar os povos para subjugá-los e arruinar seus bens para se assegurarem da posse deles.

Mas quando os cidadãos amam seu dever e os depositários da autoridade pública se empenham sinceramente em alimentar esse amor por meio de seu exemplo e atitudes, todas as dificuldades desaparecem e a administração torna-se de tal forma fácil que se libera desse ar tenebroso, cuja perfídia causa todo o mistério. Esses espíritos raros, tão perigosos e tão admirados, todos esses grandes ministros cuja glória se confunde com as tristezas do povo, não são mais lamentados; os costumes públicos superam a genialidade dos chefes; e, quanto mais reina a virtude, menos são necessários os talentos pessoais. A própria ambição é mais desejada por dever do que por usurpação: estando o povo convencido de que seus chefes trabalham pelo seu bem-estar, tem a deferência de dispensá-los de trabalhar para consolidar seu poder; e a história nos mostra em diversos momentos que a autoridade atribuída àqueles que ele ama, e pelos quais é amado, é cem vezes mais absoluta que toda a tirania dos usurpadores. O que não significa que o governo deva temer o uso de seu poder, mas que ele só deve usá-lo de maneira legítima. A história nos fornece uma infinidade de exemplos de chefes ambiciosos e covardes, vencidos pela inércia ou pelo orgulho, mas de nenhum que se tenha dado mal por haver sido equânime. Mas não se deve confundir a negligência com a moderação, nem a doçura com a fraqueza. É necessário ser severo para ser justo: sob pena de se fazer infeliz a si mesmo, não se deve sofrer a infelicidade que se tem o direito e o poder de reprimir[27].

Não é suficiente dizer aos cidadãos que sejam bons, é preciso ensiná-los a ser; e o próprio exemplo, que neste sentido é a primeira lição, não é o único meio que se deve empregar – o amor à pátria é o mais eficaz; porque, como já disse, todo homem é virtuoso, quando sua vontade particular está em conformidade com a vontade geral, e de bom grado quer aquilo que querem as pessoas que ama.

O sentimento de humanidade parece que se dissipa ou enfraquece ao espalhar-se e que nós não nos sensibilizamos pelas calamidades da Tartária ou do Japão, tanto quanto pelas de um povo europeu. De qualquer forma, é preciso limitar e comprimir o interesse e a comiseração para lhe dar atividade. Ora, como essa inclinação só pode ser útil àqueles com quem vivemos, é bom que o sentimento de humanidade concentrado entre os cidadãos tenha neles uma nova força através do hábito de se reunir e pelo interesse comum a todos. É certo que os maiores prodígios de virtude foram produzidos pelo amor à pátria: esse sentimento doce e vivo que une a força do amor próprio a toda a beleza da virtude lhe dá uma energia, que, sem desfigurá-la, torna-a a mais heroica de todas as paixões. Foi ele que produziu tantas ações imortais cuja luminosidade cega nossos olhos fracos, e tantos grandes homens cujas antigas virtudes parecem fábula, depois que o amor à pátria tornou-se desprezível. Não devemos nos espantar; os entusiasmos dos corações ternos parecem tão somente quimeras a quem nunca os sentiu; e o amor à pátria – cem vezes mais vivo e mais delicioso que aquele que se sente por uma amante – não se pode concebê-lo a não ser experimentando-o: mas é natural perceber em todos os corações que ele aquece, em todas as ações que inspira, esse ardor efervescente e sublime onde já não brilha a mais pura virtude quando é separada daquele. Tenhamos a ousadia de opor Sócrates a Catão: o primeiro era mais filósofo e, o segundo, mais cidadão. Atenas já estava perdida, e Sócrates tinha como pátria o mundo inteiro: Catão sempre teve a sua no fundo do coração, viveu apenas para ela e não pôde sobreviver a ela. A virtude de Sócrates é a do mais sábio dos homens: mas entre César e Pompeu, Catão parece um deus entre os mortais. Um instruiu alguns particulares, combateu os sofistas e morreu pela verdade; o outro defendeu o Estado, a liberdade, as leis contra os conquistadores do mundo, e só deixou a terra, quando já não viu alguma pátria para servir. Um digno aluno de Sócrates seria o mais virtuoso de seus contemporâneos; um digno êmulo de Catão seria o maior. A virtude do primeiro faria sua felicidade, o segundo procuraria a sua na de todos. Seríamos instruídos por um e conduzidos pelo outro e apenas isso decidiria a preferência, posto que nunca se fez um povo de sábios, mas não é impossível tornar um povo feliz.

Queremos que os povos sejam virtuosos? Então devemos começar por fazê-los amar a pátria: Mas como poderão amá-la, se a pátria nada mais é para eles do que é para os estrangeiros, e apenas lhes proporciona aquilo que não pode recusar a ninguém? Seria bem pior se nela não pudessem usufruir nem da segurança civil e que seus bens, sua vida ou sua liberdade estivessem à disposição de homens poderosos, sem que lhes fosse possível ou permitida a ousadia de cobrar a aplicação das leis. Assim, submetidos aos deveres do estado civil, sem mesmo usufruir os direitos do estado de natureza e sem defender-se pela força, o povo estaria, consequentemente, na pior condição em que se podem encontrar homens livres, e a palavra *pátria* só poderia ter para ele um sentido odioso e ridículo. Não é possível acreditar que se possa machucar ou cortar um braço, sem que a dor se reflita no cérebro; da mesma forma, a vontade geral não consente que um membro de qualquer Estado possa ferir ou destruir um outro, como não é possível crer que um homem, na plena posse de sua razão, arranque seus próprios olhos com os dedos. A segurança particular está de tal modo ligada à confederação pública que, sem as considerações devidas à fraqueza humana, essa convenção seria dissolvida pelo direito, se um único cidadão perecesse no Estado por falta do auxílio que lhe pudesse ter sido prestado, se por erro um outro ficasse preso, e se fosse perdido um único processo por injustiça evidente: pois, estando desfeitas as convenções fundamentais, não mais é possível ver que direito nem que interesse poderia manter o povo na união social, a menos que fosse retido pela única força que causa a dissolução do estado civil.

De fato, a nação, enquanto corpo conciso, não deve ter como preocupação empenhar-se na conservação do mais insignificante dos seus membros, tanto quanto na de todos os outros? Da mesma forma, o bem-estar de um cidadão não é muito mais uma tarefa do Estado do que uma causa comum? Se alguém dissesse que é bom que um morra por todos, admiraria ouvir essa frase da boca de um digno e virtuoso patriota consagrado, voluntariamente e, por dever, a morrer pela salvação de seu país; mas aceitar que seja permitido ao governo sacrificar um inocente para salvar a multidão é uma das máximas mais execráveis jamais inventadas pela tirania, a mais falsa que se possa afirmar, a mais perigosa que se possa admitir e a mais diretamente oposta às leis fundamentais da sociedade. Ao invés de só um morrer por todos, todos empenham seus bens e suas vidas na defesa de todos, para que a fraqueza individual seja sempre protegida pela força pública e cada membro, por todo o Estado. Depois de ter, por suposição, suprimido um indivíduo após outro do conjunto do povo, é preciso forçar os partidários dessa máxima a melhor explicar aquilo que eles entendem por *corpo do Estado*. Vamos ver que afinal eles o reduzirão a um pequeno número de homens que não são o povo, mas os oficiais do povo, que, tendo-se obrigado por um juramento particular a morrer por sua salvação, pretendem provar assim que é a vez de ele perecer pela deles.

Os exemplos da proteção que o Estado deve a seus membros e do respeito que deve a seus indivíduos devem ser procurados entre as mais ilustres e as mais corajosas nações da Terra, e apenas entre os povos livres, onde se conhece o valor de um homem. Quando se tratava de punir um cidadão culpado, sabemos que a perplexidade se abatia sobre a república em Esparta. Na Macedônia, a vida de um homem era um assunto tão importante que seu poderoso monarca Alexandre, com toda a sua grandeza, não ousava mandar matar a sangue-frio um macedônio criminoso, sem que o acusado tivesse sido ouvido para que pudesse se defender frente a seus cidadãos e sem que tivesse sido condenado por eles. Mas foram os romanos que se distinguiram entre todos os povos da Terra, pela consideração do governo pelos particulares e por sua atenção escrupulosa em respeitar os direitos invioláveis de todos os membros do Estado. Nada era tão sagrado entre eles quanto a vida dos simples cidadãos; era necessária a assembleia de todo o povo para condenar uma só pessoa: nem mesmo o senado nem os cônsules, em toda a sua majestade, tinham o direito de fazê-lo. Para o mais poderoso povo do mundo, o crime e a condenação de um cidadão causavam uma desolação pública; como também pareceu-lhes tão duro derramar o sangue de um cidadão por qualquer crime, a lei *Porcia*[28] comutou a pena de morte para exílio, para todos aqueles que quisessem sobreviver à perda de uma pátria tão doce. Em Roma e nas suas tropas, tudo deixava transparecer esse amor dos cidadãos uns pelos outros, e esse respeito pelo nome romano que elevava a coragem e animava a virtude de quem quer que tivesse a honra de carregá-lo. Nas comemorações dos triunfos, o que mais chamava à atenção era o chapéu de um cidadão libertado da escravidão ou a coroa cívica daquele que salvou a vida de um outro; e é preciso salientar que, das coroas que durante a guerra eram atribuídas às boas ações, apenas a cívica e a dos vencedores eram de ervas e folhas[29], pois todas as outras eram apenas de ouro. Foi assim que Roma se fez virtuosa e tornou-se a senhora do mundo. Chefes ambiciosos! Um pastor conduz seus cães e seus rebanhos e não passa do último dos homens. Só vale a pena comandar, quando aqueles que nos obedecem podem nos honrar; respeitem, portanto, seus cidadãos para se tornarem respeitáveis; respeitem a liberdade, e seu poder aumentará todos os dias: não ultrapassem nunca seus direitos e brevemente eles serão ilimitados.

Então, que a pátria se mostre a mãe comum de todos os cidadãos, que as vantagens que usufruem em seu país a tornem amada, que o governo os deixe participar da administração pública para perceberem que estão em casa e que as leis sejam a seus olhos garantias de sua liberdade. Esses direitos, no seu esplendor, pertencem a todos os homens; mas, ainda que sem parecer atacá-los diretamente, a má vontade dos chefes anulou-os facilmente. A lei da qual se abusa, tanto serve ao poderoso de posse de uma arma ofensiva como de escudo contra o débil, e o pretexto do bem público é sempre o mais perigoso flagelo do povo. O que há de mais necessário e talvez de mais difícil no governo é uma integridade severa, capaz de dar justiça a todos e, sobretudo, proteger o pobre contra a tirania do rico. O maior mal já está feito numa sociedade, quando é preciso defender os pobres e refrear os ricos. É apenas sobre a mediania[30] que se exerce toda a força das leis, pois são igualmente impotentes frente aos tesouros do rico e frente à miséria do pobre: o primeiro as engana, o segundo lhes escapa; um rasga o véu e o outro passa através dele.

Portanto, um dos mais importantes assuntos do governo é evitar a extrema desigualdade das riquezas, certamente não permitindo o aumento das que já existem, mas, também, impedindo por todos os meios que alguém possa acumulá-las; nem tampouco construindo hospitais para os pobres, mas preservando os cidadãos de caírem na pobreza. Eis as causas principais da opulência e da miséria, da substituição do interesse público pelo particular, da raiva mútua dos cidadãos, de sua indiferença pela causa comum, da corrupção do povo e do enfraquecimento de todos os esforços do governo: os homens desigualmente distribuídos pelo território e amontoados num lugar, enquanto os outros ficam despovoados; as artes da diversão e de pouca habilidade são mantidas às expensas dos trabalhos úteis e penosos; a agricultura sacrificada pelo comércio; o publicano[31] tornando-se necessário pela má administração das finanças do Estado; enfim, a venalidade levada a tal excesso que a consideração se mantém pelas armas e as próprias virtudes são vendidas por dinheiro. Consequentemente, esses são males que, quando são percebidos, dificilmente são sanados, mas que uma administração sábia deve prevenir para manter, junto com os bons costumes, o respeito pelas leis, o amor à pátria e o vigor da vontade geral.

Mas todas essas precauções se tornam insuficientes, se não se alarga ainda mais a análise. Termino esta parte da *economia pública* por onde deveria tê-la começado. A pátria não pode subsistir sem a liberdade, nem a liberdade sem a virtude, nem a virtude sem os cidadãos; isso é possível quando os cidadãos são educados para tal, caso contrário têm-se apenas escravos ruins, começando pelos próprios chefes de Estado. Ora, formar cidadãos não é trabalho para um dia, e, para que se façam homens, é preciso instruí-los desde crianças. Se me disserem que alguém tem homens para governar, direi que não se deve buscar fora da natureza deles uma perfeição que não podem alcançar, como não se deve querer destruir neles as paixões; a execução de semelhante projeto não seria nem desejável nem possível. Além disso, diria que um homem que não tivesse paixões seria certamente um mau cidadão: mas é preciso convir que, se não se ensina aos homens amar alguma coisa, é impossível ensinar-lhes a amar um objeto mais do que outro e aquilo que é verdadeiramente belo mais do que aquilo que é disforme. Se, por exemplo, desde cedo aprendem apenas a olhar sua individualidade por meio de suas relações com o corpo político e só percebem – por assim dizer – sua própria existência como uma parte daquela, poderão vir finalmente a se identificar de alguma forma com esse todo maior, a sentir-se membros da pátria, a amá-la com esse sentimento esquisito que todo homem isolado tem apenas por si mesmo, a elevar para sempre sua alma a esse grande objeto, e assim transformar em uma virtude sublime essa disposição perigosa que origina todos os nossos vícios. Não apenas a filosofia demonstra a possibilidade dessas novas direções, mas a história nos fornece milhões de exemplos admiráveis: se os cidadãos são tão raros entre nós, é porque ninguém se preocupa com sua existência, ocupando-se menos ainda da necessidade de formá-los cedo. Não é mais tempo de mudar nossas inclinações naturais, quando elas já tomaram seus rumos e o hábito já se somou ao amor-próprio; não é mais tempo de sairmos de nós mesmos, quando o *eu humano* concentrado em nossos corações já adquiriu essa desprezível atividade que absorve toda virtude e faz a vida das pequenas almas. Como o amor à pátria poderia germinar no meio de tantas outras paixões que o sufocam? E o que resta aos cidadãos que têm um coração já dividido entre a avareza, uma amante e a vaidade?

É preciso que desde o primeiro momento de existência se aprenda a merecê-la; e como, ao nascer, se participa dos direitos dos cidadãos, o instante do nascimento deve ser o começo do exercício dos deveres de cada um. Se existem leis para a fase adulta, devem existir também outras para a infância, que ensinem a obedecer aos outros; e, como a razão de cada homem não é o único árbitro de seus deveres, a educação dos filhos não se deve confiar só aos princípios e aos preconceitos dos pais, pelo fato de que ela interessa mais ao Estado do que aos pais; pois, de acordo com os rumos da natureza, a morte do pai rouba-lhe frequentemente os últimos frutos dessa educação, mas a pátria cedo ou tarde sente seus efeitos; o Estado permanece e a família se dissolve. Se a autoridade pública, ao tomar o lugar dos pais e ao encarregar-se dessa função tão importante, adquire seus direitos ao cumprir seus deveres, aqueles têm menos motivos para se ocupar dela e nesse sentido nada mais fazem de fato a não ser mudar de nome, de modo que sob o nome de cidadãos terão, em comum, a mesma autoridade sobre seus filhos, que antes exerciam separadamente sob o nome de *pais*, e não serão menos obedecidos ao falarem em nome da lei do que eram ao falar em nome da natureza. Uma das máximas fundamentais do governo popular ou legítimo é a educação pública, segundo as regras prescritas pelo governo e os magistrados estabelecidos pelo soberano. Se as crianças são educadas em comum sob o princípio da igualdade, se são imbuídas das leis do Estado e das máximas da vontade geral, se são instruídas a respeitá-las acima de todas as coisas, se são envolvidas por exemplos e objetos que lhes falam o tempo todo da mãe terna que os alimenta, do amor que tem por elas, dos bens inestimáveis que recebem e do reconhecimento que lhe devem, não se pode duvidar de que aprendem assim a se querer mutuamente como irmãos, a querer apenas aquilo que quer a sociedade, a substituir o falatório vão e estéril dos sofistas por ações de homens e de cidadãos, e um dia se tornarão os defensores e os pais da pátria, da qual foram por muito tempo os filhos.

Não direi nada sobre os magistrados encarregados de presidir essa educação, que é certamente o mais importante assunto do Estado. Fica claro que, se tais marcas da confiança pública estão minimamente acordadas, se essa função sublime não fosse o honrado e doce repouso de sua velhice e o máximo de todas as honras para aqueles que preencheram todas as outras, todo empreendimento seria inútil e a educação não teria sucesso; uma vez que, em toda parte onde a lição não é sustentada pela autoridade e o preceito pelo exemplo, a instrução permanece sem frutos e mesmo a virtude perde seu crédito na boca daqueles que não a praticam. Mas quantos guerreiros ilustres curvados sob o fardo de seus louros pregam a coragem, quantos magistrados íntegros, dignificados pela púrpura, ensinam a justiça à frente dos tribunais? Uns e outros formarão dessa maneira virtuosos sucessores e transmitirão, de época a época, às gerações futuras, a experiência e os talentos dos chefes, a coragem e a virtude dos cidadãos e a emulação comum a todos de viver e morrer pela pátria.

Só tenho notícia de três povos que outrora praticaram a educação pública, a saber: os cretenses, os lacedemônios e os antigos persas;

entre os três, ela foi muito bem-sucedida, tendo realizado prodígios entre os dois últimos. Quando o mundo se dividiu em grandes nações para melhor serem governadas, a educação pública não era mais praticada, e outras razões, que o leitor pode facilmente imaginar, impediram que fosse tentada entre os povos modernos. É surpreendente que os romanos não a tenham tido, mas Roma foi durante cinco séculos um contínuo milagre que o mundo não pode esperar rever mais. A virtude dos romanos, forjada pelo horror à tirania, e aos crimes dos tiranos, e pelo amor inato à pátria, fez de todas as casas outras tantas escolas de cidadãos; e o poder sem limite dos pais sobre os filhos dava tanta severidade ao governo[32] particular, que o pai mais temido que os magistrados simbolizava, no seu tribunal doméstico, o censor dos costumes e o guardião das leis.

É assim que um governo atento e bem-intencionado, que sempre procura manter ou reacender no povo o amor à pátria e os bons costumes, previne a tempo os males que mais cedo ou mais tarde resultarão da indiferença dos cidadãos pelo destino da república e que mantém em estreitos limites esse interesse pessoal que de tal forma isola os particulares, que o Estado se enfraquece por seu poder e nada pode esperar de sua boa vontade. Em toda parte onde o povo ama seu país, respeita as leis e vive de forma simples, há pouca coisa a fazer para torná-lo feliz; e na administração pública, onde a interferência do destino é menor que a sorte dos particulares, a sabedoria está tão perto da felicidade que as duas se confundem.

III – Não basta ter cidadãos e protegê-los, é necessário também cuidar de sua subsistência. Atender às necessidades públicas é uma decorrência evidente da vontade geral e o terceiro dever essencial do governo. Como se pode perceber, esse dever não consiste em abarrotar os celeiros dos particulares e dispensá-los do trabalho, mas em manter a abundância a seu alcance, de forma que, para atingi-la, o trabalho seja sempre necessário e nunca inútil. Isso estende-se também a todas as operações que a manutenção do fisco comporta e aos encargos da administração pública. Assim, depois de ter falado da *economia* geral, em relação ao governo das pessoas, é necessário considerá-la, em relação à administração dos bens.

Essa parte não oferece menos dificuldades para resolver ou contradições a superar do que a precedente. É certo que o direito de propriedade é o mais sagrado de todos os direitos dos cidadãos[33], e em alguns aspectos é até mais importante do que a própria liberdade, seja porque fala mais diretamente à conservação da vida, seja porque, sendo mais fácil usurpar os bens e mais difícil defendê-los do que a própria pessoa, deve-se respeitar mais aquilo que se pode realizar com maior facilidade; seja, enfim, porque a propriedade é o verdadeiro fundamento da sociedade civil e a verdadeira garantia dos compromissos dos cidadãos: pois, se os bens não pertencem às pessoas, nada mais fácil do que iludir seus deveres e divertir-se com as leis. Por outro lado, não é menos certo que a manutenção do Estado e do governo exige recursos e despesas; e, como alguém que aceita o fim não pode recusar os meios, segue-se a isso que os membros da sociedade devem contribuir com seus bens para sua manutenção. Além do mais, é difícil, por um lado, assegurar a propriedade dos particulares, sem atacá-la de outro, e não é possível que todos os regulamentos que atendam à ordem das sucessões, como os testamentos e os contratos, não incomodem de alguma forma os cidadãos no que concerne à disposição de seus bens e, consequentemente, ao seu direito de propriedade.

Mas, além daquilo que acabo de afirmar quanto ao acordo entre a autoridade da lei e a liberdade do cidadão, há uma referência importante a fazer quanto à disposição dos bens, que acarreta certas dificuldades. Como mostrou Pufendorf[34], em razão da natureza do direito de propriedade o mesmo não se estende para além da vida do proprietário, e, no instante em que um homem morre, seu bem não lhe pertence mais. Assim, prescrever-lhe condições para a disposição do mesmo significa no fundo alterar seu direito em aparência e não de fato estender sua aplicabilidade.

Em geral, ainda que a instituição das leis que regulamentam o poder dos indivíduos quanto à disposição de seus próprios bens esteja a cargo do soberano, o espírito dessas leis, que o governo deve seguir na sua aplicação, aconselha que de pai para filho e de parente a parente, os bens da família mantenham-se no interior dela e se alienem o menos possível. Há nisso uma razão claramente favorável às crianças, para as quais o direito de propriedade não teria utilidade, se o pai não lhes deixasse nada; e além do mais, como frequentemente contribuíram por meio de seu trabalho para a aquisição dos bens do pai, são seus sócios por direito. Mas uma outra razão, mais fraca e menos importante, é que nada é mais funesto aos costumes e à república do que as contínuas mudanças de situação e de sorte entre os cidadãos; mudanças que são a fonte de várias desordens que geram tumulto e confusão e pelas quais os que foram preparados para atuar em determinada área e que acabaram sendo destinados a outra, e nem os que são promovidos ou os que saem não podem adotar as máximas ou as luzes convenientes a seu novo estado, e menos ainda dar conta dos seus deveres. Passo agora ao objeto das finanças públicas.

Se o povo se governasse a si mesmo e não houvesse intermediário entre a administração do Estado e os cidadãos, na época devida estes só terão de se cotizar de forma proporcional quanto às necessidades públicas e quanto aos meios dos indivíduos; e, como cada um jamais perderia de vista a recuperação e a aplicação do dinheiro, não poderia ocorrer nem fraude nem abuso no seu manejo: o Estado jamais seria onerado com dívidas, nem o povo sobrecarregado com impostos, ou ao menos a garantia do emprego, o consolará quanto à vigência da taxa. Mas as coisas não podem caminhar assim, e por mais limitado que seja um Estado, a sociedade civil é sempre bem numerosa para que possa ser governada por todos os seus membros. É necessário que o dinheiro público passe pelas mãos dos chefes, que, além do interesse do Estado, têm todos o seu, particular, e que não é o último a ser atendido. O povo, por seu lado, que muitas vezes se apercebe mais da avidez dos chefes e de suas despesas extravagantes do que das necessidades públicas, lamenta ver-se despojado do necessário para que o supérfluo de outrem seja alimentado; e, quando essa massa trabalhadora já estiver a tal ponto alterada, a mais íntegra administração não conseguirá restabelecer sua confiança. Assim, se as contribuições são voluntárias não produzem nada, e se são forçadas são ilegítimas; a dificuldade de uma justa e sábia *economia* consiste nessa cruel alternativa entre deixar perecer o Estado ou atacar o direito sagrado de propriedade, que é a sua base.

A primeira coisa que deve fazer aquele que institui uma república[35], depois do estabelecimento das leis, é encontrar fundos suficientes para o pagamento dos magistrados e demais oficiais, assim como para todas as despesas públicas. Esse fundo chama-se *aerarium* ou *fisco*, se o montante é em dinheiro, e *domínio público*, se são terras, sendo este último preferível ao primeiro por razões fáceis de serem percebidas. Quem quer que tenha suficientemente refletido sobre este assunto não pode ter outra opinião a não ser a de Bodin[36], que vê o domínio público como o mais honesto e o mais seguro de todos os meios para atender às necessidades do Estado; e é importante ressaltar que a primeira preocupação de Rômulo na divisão das terras foi destinar um terço delas a esse uso. Reconheço que não é impossível que o produto do domínio mal administrado se reduza a nada, mas não é da essência do domínio ser mal administrado.

Antes de qualquer utilização, esse fundo deve ser previamente assinado ou aceito pela assembleia do povo ou dos estados da federação, que deve em seguida determinar sua entrada em vigor. Após essa solenidade que torna esses fundos inalienáveis, de certa maneira, eles mudam de natureza e seus rendimentos tornam-se de tal forma sagrados, que a menor quantia desviada constitui não apenas o mais infame dos roubos, mas um crime de lesa-majestade. Foi uma grande desonra para Roma que a integridade do questor Catão tenha sido tema de discussão e que um imperador, ao recompensar com algumas moedas o talento de um cantor, tenha tido a necessidade de esclarecer que esse dinheiro pertencia à sua família e não ao Estado. Mas, se há poucos Galbas, onde encontraremos outros como Catão? E se o vício algum dia nos desonrar, quais serão os chefes suficientemente escrupulosos para se absterem de se apossar do erário público sob sua responsabilidade, e não considerá-lo desde o início como se fosse seu, correndo o risco de confundir suas vãs e escandalosas dilapidações com a glória do Estado e os meios de estender sua autoridade, com aqueles que possam aumentar seu poder? É, sobretudo nessa delicada parte da administração, que a virtude é o único instrumento eficaz e a integridade do magistrado, o único freio capaz de conter sua avareza. Os livros e todos os cálculos dos contadores servem bem menos para revelar suas infidelidades do que para encobri-las; e a prudência não está tão pronta a imaginar novas precauções quanto a malandragem está apta a escamoteá-las. Portanto, deve-se deixar de lado os registros e os papéis, e colocar as finanças em mãos fiéis: é a única forma de serem regidas fidedignamente.

Uma vez estabelecidos os fundos públicos, os chefes do Estado são por direito seus administradores, já que tal administração é uma parte sempre essencial do governo, embora não tão ampla quanto as demais: sua influência aumenta à medida que os recursos diminuem; e pode-se dizer que um governo chegou ao último grau de corrupção, quando não tem outro móbil a não ser o dinheiro. Ora, como todo governo tende continuamente ao enfraquecimento, essa única razão mostra porque nenhum Estado pode subsistir, se seus recursos não aumentam constantemente.

A primeira indicação da necessidade desse aumento é também o primeiro sinal da desordem interna do Estado, de modo que o bom administrador, quando quer encontrar dinheiro para atender uma necessidade presente, não deixa de procurar a causa remota dessa nova necessidade: como um marinheiro que, vendo a água cobrir seu navio e ao fazer funcionar as bombas, não se esquece também de procurar e vedar o rombo.

Dessa regra decorre a máxima mais importante da administração das finanças, que é a de empenhar-se muito mais em prevenir as necessidades do que em aumentar a receita; como o socorro só vem de forma lenta e depois que o mal já ocorreu, qualquer diligência que se possa usar deixa sempre o Estado em suspenso: enquanto se pensa em remediar um inconveniente, já outro se faz sentir, e os próprios recursos produzem novos inconvenientes, de modo que ao final a nação se endivida, o povo é desprezado, o governo perde todo o seu vigor e não faz mais apesar de ter muito dinheiro. Acredito que os prodígios dos antigos governos decorrem dessa grande máxima bem estabelecida, e faziam mais com sua parcimônia do que os nossos com toda a sua riqueza; e talvez seja daí que decorra a acepção vulgar da palavra *economia*, que diz muito mais respeito à sábia administração daquilo que se tem do que aos meios de se adquirir o que não se possui.

Independentemente do domínio público, que diz respeito ao Estado, na proporção da probidade daqueles que o regem, se conhecêssemos suficientemente a força da administração geral, sobretudo quando ela se limita aos meios legítimos, ficaríamos espantados com os recursos de que dispõem os chefes para dar conta de todas as necessidades públicas, sem ter que usar os bens dos particulares. Como são os senhores de todo o comércio do Estado, podem facilmente dirigi-lo de forma que tudo esteja previsto e sem que tenham que se envolver. A distribuição dos produtos agrícolas, do dinheiro e das mercadorias em proporções justas, de acordo com a época e as regiões, é o verdadeiro segredo das finanças e a fonte de suas riquezas, desde que aqueles que as administram saibam enxergar longe e operar, na ocasião certa, uma perda aparente e imediata para de fato poder obter imensos lucros em um longo prazo de tempo. Quando vemos um governo pagar direitos, ao invés de recebê-los, pela exportação do trigo nos anos de abundância e por sua importação nos anos de escassez, é necessário ter esses fatos presentes para acreditá-los verdadeiros, pois se tivessem acontecido no passado poderíamos pensar que se tratava de um romance. Suponhamos que para prevenir a escassez nos anos difíceis, se propusesse estabelecer armazéns públicos. Em quantos países uma medida tão útil não serviria de pretexto para novos impostos? Em Genebra esses celeiros estabelecidos e mantidos por uma sábia administração são o recurso público nos anos difíceis e o principal rendimento do Estado em todas as épocas. *Alit et ditar*[37], é a bela inscrição que se lê sobre a fachada desse edifício. Inspirei-me com frequência no governo dessa república, para expor aqui o sistema econômico de um bom governo, ficando dessa forma feliz por encontrar em minha pátria o exemplo da sabedoria e da felicidade que gostaria que reinasse em todos os países.

Se examinamos como crescem as necessidades de um Estado, percebemos que frequentemente isso acontece mais ou menos como entre os indivíduos: menos por uma verdadeira necessidade do que pelo crescimento de desejos inúteis, e que frequentemente só se aumenta a despesa como um pretexto para aumentar a receita; de maneira que o Estado algumas vezes lucra em se fazer passar por rico, e essa riqueza aparente lhe é no fundo mais onerosa do que seria a própria pobreza. É verdade que se pode esperar manter os povos numa dependência mais estreita, dando-lhes com uma mão aquilo que se lhes tirou com a outra, e essa foi a política que José usou com os egípcios. Mas esse vão sofisma é bem mais funesto ao Estado se o dinheiro não volta às mesmas mãos das quais saiu, e através de semelhantes máximas enriquecem-se apenas os aproveitadores com os despojos dos homens úteis.

O gosto pelas conquistas é uma das causas principais e mais perigosas desse aumento. Esse gosto, frequentemente engendrado por uma outra espécie de ambição, além daquela que parece anunciar, nem sempre é aquilo que parece ser, e nem é sempre seu verdadeiro motivo o desejo aparente de engrandecer a nação e, sim, o desejo velado de aumentar internamente a autoridade dos chefes através do aumento das tropas e graças à diversão que causam os objetivos da guerra no espírito dos cidadãos.

Pelo menos é bem certo que nada é tão opressor e miserável quanto os povos conquistadores, cujos sucessos nada mais fazem que aumentar suas misérias. Quando a história não nos ensina, a razão é suficiente para nos demonstrar que, quanto maior é um Estado, mais as despesas se tornam proporcionalmente pesadas e onerosas; uma vez que é necessário que todas as províncias forneçam suas contribuições aos cofres da administração geral e que, além disso, cada uma faça a mesma despesa como se ela fosse independente. Acrescente-se a isso que todas as fortunas se fazem num lugar e se gastam em outro, o que rompe o equilíbrio entre o produto e o consumo, empobrecendo várias regiões para enriquecer uma única cidade.

Há uma outra causa do crescimento das necessidades públicas que diz respeito à anterior. Pode haver uma época na qual os cidadãos, não mais se sentindo interessados pela causa comum, deixem de ser os defensores da pátria, e os magistrados prefiram antes comandar mercenários do que homens livres, ainda que mais não fosse para subjugar melhor os outros. Tal era a situação de Roma ao final da República e sob a autoridade dos imperadores, já que todas as vitórias dos primeiros romanos, tanto quanto as de Alexandre, foram conseguidas por bravos cidadãos que sabiam dar o sangue pela pátria, quando necessário, mas que jamais o vendiam. Marius foi o primeiro que na Guerra de Jugurtha desonrou as legiões, introduzindo em suas fileiras libertinos, vagabundos e outros mercenários. Transformados em inimigos dos povos que eles deviam tornar felizes, os tiranos estabeleceram tropas regulares, aparentemente para conter o estrangeiro, e de fato para oprimir os habitantes[38]. Para formar essas tropas foi necessário afastar lavradores da terra, cuja ausência diminuiu a qualidade dos víveres, e sua manutenção introduziu impostos que aumentaram o preço. Essa primeira desordem fez os povos reclamarem: para reprimi-los foi necessário multiplicar as tropas e consequentemente a miséria; e, mais o desespero aumentava, mais se estava obrigado a aumentá-lo para prevenir os seus efeitos. Por outro lado, esses mercenários, que se pode julgar como eram pelo preço pelo qual se vendiam, orgulhosos de seu aviltamento, desprezando as leis pelas quais estavam protegidos e aos seus irmãos com os quais comiam o pão, acreditavam que eram mais honrados, sendo os satélites de César do que os defensores de Roma, e, devotados a uma obediência cega, tomavam pelo Estado o punhal sobre a cabeça de seus compatriotas, prontos a degolar todos, ao primeiro sinal. Não é difícil demonstrar que essa foi uma das principais causas da ruína do Império Romano.

Na atualidade, a invenção da artilharia e das fortificações forçou os soberanos da Europa a restabelecer o uso das tropas regulares para proteger seus territórios; mas por motivos mais legítimos acredita-se que o efeito não tenha sido igualmente funesto. Será necessário despovoar os campos para formar os exércitos e as guarnições; para mantê-los será necessário sufocar os povos; e depois de certo tempo essas instituições crescem com tal rapidez em todos os países, que só se pode prever o decrescimento populacional da Europa e, mais cedo ou mais tarde, a ruína dos povos que a habitam.

Quer se trate de uma questão ou outra, deve-se ressaltar que tais instituições invertem necessariamente o verdadeiro sistema econômico que tira a principal receita do Estado do domínio público, restando apenas o fraco recurso dos subsídios e impostos, do qual passo a falar.

É importante relembrar aqui que o fundamento do pacto social é a propriedade, e sua primeira condição que cada um seja mantido na agradável fruição daquilo que lhe pertence. É verdade que pelo mesmo acordo cada um se obriga, ao menos tacitamente, a se cotizar quanto às despesas públicas; mas não podendo a lei fundamental ser alimentada por esse engajamento, e supondo a evidência da necessidade reconhecida pelos contribuintes, percebe-se que, para ser legítima, essa cotização deve ser voluntária, não a partir de uma vontade particular, como se fosse necessário ter o consentimento de cada cidadão e que ele só deva dar aquilo que lhe aprouver, o que seria totalmente contra o espírito corporativo, mas de uma vontade geral, expressão de uma pluralidade de vozes, e com uma tarifa proporcional que não é uma contribuição arbitrária.

Essa verdade – de que os impostos não podem ser estabelecidos legitimamente, a não ser com o consentimento do povo ou de seus representantes[39] – geralmente foi reconhecida por todos os filósofos e jurisconsultos que adquiriram alguma reputação em assuntos de direito político, não excetuando nem mesmo Bodin. Se aparentemente alguns estabeleceram máximas contrárias, além de ser fácil perceber os motivos particulares que os levaram a isso, apontam tantas condições e restrições que no fundo dá exatamente no mesmo: quanto ao direito, que o povo possa recusar ou que o soberano não deva exigir, isso é indiferente; e, se a questão é a força, a coisa mais inútil é examinar o que é legítimo ou não.

As contribuições pagas pelo povo são de dois tipos: umas são reais e dizem respeito às coisas; as outras são pessoais, e são pagas por cabeça. Dá-se a ambas o nome de *impostos* ou de *subsídios*. Quando é o povo que fixa a soma estabelecida, chama-se *subsídio*; quando estabelece todo o produto de uma taxa, trata-se de *imposto*. Pode-se ler no *Espírito das leis* que a imposição por cabeça favorece melhor a servidão, e que a taxa real é mais conveniente à liberdade. Isso seria incontestável, se os contingentes por cabeça fossem iguais, pois nesse caso não haveria nada mais desproporcional que semelhante taxa, sendo que o espírito da liberdade consiste sobretudo nas proporções observadas. Mas a taxa por cabeça é exatamente proporcional às posses dos indivíduos, como é na França a *capitação*[40], e que dessa forma tanto é real quanto pessoal, sendo a mais equitativa e a mais conveniente a homens livres. A princípio parecem proporções fáceis de serem observadas, uma vez que as indicações são sempre públicas, já que são relativas à situação que cada um tem no mundo; mas como muito mais do que a avareza, o crédito e a fraude sabem escamotear de forma convincente, é raro que nesses cálculos entrem todos os elementos que deles devem fazer parte. Primeiramente, deve-se considerar a relação das quantidades de forma isonômica e aquele que tem dez vezes mais bens que um outro, deve pagar dez vezes mais. Em segundo lugar, a relação dos usos, ou seja, a distinção entre o necessário e o supérfluo. Aquele que tem apenas o necessário não deve pagar absolutamente nada; a taxa daquele que tem algo supérfluo pode igualar-se, caso haja necessidade, à soma total do valor que exceda seus bens necessários. Por sua vez, poderá argumentar-se quanto a isso, dirá que aquilo que é supérfluo para um homem inferior, é necessário para um outro; mas isso é uma mentira: um senhor tem duas pernas como um pastor e apenas um estômago como ele. Além do mais, essa pretensa necessidade é por sua vez pouco justificável, que será muito mais respeitado, se souber em nome de algo louvável renunciar a ela. O povo se prostraria diante de um ministro que fosse a pé ao conselho, por ter vendido suas carruagens em época de dificuldades do Estado. Enfim, a lei não prescreve a magnificência a ninguém e a conveniência jamais é uma razão contra o direito.

Uma terceira razão que nunca é apontada e que sempre se deveria considerar inicialmente diz respeito às utilidades que cada um retira da confederação social, que protege fortemente as imensas posses do rico e apenas permite ao pobre desfrutar o casebre que construiu com suas mãos. Todos os favores da sociedade não são para os poderosos e os ricos? Todos os empregos lucrativos não são preenchidos apenas por eles? Todas as vantagens, todas as isenções não estão reservadas a eles? E a autoridade pública não lhe é totalmente favorável? Um homem de posição que roube seus credores ou faça suas vigarices não está sempre certo da impunidade? Os golpes que aplica, as violências que comete, as mortes e mesmo os assassinatos dos quais é culpado, não são atenuados, e, ao final de seis meses, já não têm mais importância? Mas, que esse mesmo homem seja roubado: toda a polícia é acionada e pobres dos infelizes dos quais ele suspeitar. Ele passa por um lugar perigoso? Logo a escolta é colocada a campo. O eixo de sua carruagem rompe-se? Num abrir e fechar de olhos toda segurança lhe é dada. Alguém faz barulho à sua porta? Basta que diga uma palavra e tudo se cala. A multidão o incomoda? Ele faz um sinal e tudo está em ordem. Um cocheiro atrapalha sua passagem? Seus empregados estão prontos para abatê-lo. E cinquenta homens honestos e piedosos, indo para o trabalho, serão abatidos com muito mais facilidade do que retardado um malandro ocioso na sua carruagem. Todos esses ocorridos não lhe custam um centavo; são os direitos do homem rico e não o preço da riqueza. Como a situação em que se encontra o pobre é diferente! Quanto mais a humanidade lhe deve, mais a sociedade lhe recusa: todas as portas lhe são fechadas, mesmo quando ele tem o direito de fazê-las abrir e, se alguma vez se consegue fazer cumprir a justiça, é com muito mais dificuldade que outro que obtém alguma graça: se há corveias[41] para aplicar, ou uma ronda a ser efetuada, é ele o escolhido; carrega sempre, além de sua carga, aquela de que seu vizinho mais rico fica isento; ao menor acidente que lhe ocorra, todos se afastam dele; se sua modesta charrete tomba, ao invés de ser ajudado por alguém, acredito que pode se dar por feliz se evita os insultos das pessoas elegantes que acompanham um jovem duque: em uma palavra, suas necessidades escapam a toda assistência gratuita, precisamente porque não tem como pagá-la, e acredito que é um homem perdido se tem a infelicidade de possuir a alma honesta, uma filha amável e um vizinho poderoso.

Outro ponto importante, ao qual se deve atentar: as perdas dos pobres são muito menos reparáveis do que as dos ricos, e a dificuldade de aquisição aumenta sempre em proporção à necessidade. Não se faz nada com nada; isso é verdade tanto nos negócios quanto na física: o dinheiro é a semente do dinheiro e algumas vezes é mais difícil ganhar os recursos iniciais do que o segundo milhão. Ainda há mais: tudo que o pobre paga está perdido para sempre, permanecendo ou voltando às mãos do rico;

e, como o produto dos impostos só chega cedo ou tarde àqueles que participam do governo ou que estão próximos dele, mesmo tendo que pagar sua parte, têm um grande interesse em aumentá-lo.

Podemos resumir em quatro palavras o pacto social entre as duas partes: *Você tem necessidade de mim, porque sou rico e você é pobre; façamos então um acordo: permitirei que você tenha a honra de me servir, desde que me seja dado o pouco que lhe resta, em troca do meu comando.*

Se tais coisas são conduzidas com cuidado, percebe-se que, para dividir as taxas de forma equilibrada e verdadeiramente proporcional, sua imposição não deve ser feita apenas em razão dos bens dos contribuintes, mas levando-se em conta a diferença de suas condições e do supérfluo de seus bens. Operação muito importante e muito difícil, feita diariamente por vários funcionários honestos, que conhecem a aritmética, mas que pensadores como Platão e Montesquieu não se atreveram a levar a cabo, sem tremer e sem pedir aos céus luzes e integridade.

Um outro inconveniente da taxa pessoal é ser muito pesada e sua duração muito excessiva, o que não impede que esteja sujeita a muitos inconvenientes, porque na inspeção ou no processo é mais fácil ocultar a pessoa do titular do que suas posses.

Entre todas as outras imposições, o censo sobre as terras ou a talha real[42] foi sempre considerada a mais vantajosa em um país onde se atenta mais à quantidade do produto e à garantia do plantio, do que à menor dificuldade do povo. Até mesmo ousou-se dizer que é necessário sobrecarregar o camponês para despertá-lo de sua preguiça, uma vez que ele nada fará, se nada tiver para pagar. Mas, entre todos os povos do mundo, a experiência desmente essa máxima ridícula: é na Holanda e na Inglaterra, onde o agricultor paga muito pouco e sobretudo na China, onde ele não paga nada, que a terra é melhor cultivada. Ao contrário, em toda parte onde o trabalhador se vê sobrecarregado proporcionalmente à produção de sua terra, deixa-a improdutiva ou retira apenas aquilo que necessita para viver. Para quem perde o fruto de seu esforço, não fazer nada é ganhar e expor o trabalho a uma multa é um meio bastante singular de banir a preguiça.

A taxa sobre as terras ou sobre o trigo, sobretudo quando é excessiva, origina dois inconvenientes tão terríveis que aos poucos acabam por despovoar e arruinar todos os países onde foi estabelecida.

O primeiro origina-se na deficiência da circulação das mercadorias, já que o comércio e a indústria canalizam para as capitais todo o dinheiro do campo: e o imposto, destruindo a proporção que ainda se pode encontrar entre as necessidades do camponês e o preço de seu trigo, o dinheiro sai sem cessar e jamais retorna; quanto mais a cidade é rica, mais o campo é miserável. O produto das talhas passa das mãos do príncipe ou do responsável pelas finanças para a dos artistas ou dos comerciantes; e o agricultor, que recebe apenas a menor parte, se consome, pagando sempre a mesma coisa e recebendo cada vez menos. Como se pode querer que um homem que tenha apenas veias e nenhuma artéria, ou cujas artérias levem o sangue apenas a quatro dedos do coração, possa viver? Chardin[43] afirma que na Pérsia os direitos do rei sobre os produtos agrícolas se pagam igualmente em produtos agrícolas; esse uso, que Heródoto testemunha ter sido outrora praticado nesse país até Darius, pode prevenir o mal do qual acabo de falar. Mas, a menos que na Pérsia os intendentes, diretores, comissários e seguranças sejam uma outra espécie de gente, diversa da existente em toda parte, custa-me crer que chegue até ao rei a metade de todos esses produtos, que o trigo não apodreça nos celeiros e que o fogo não consuma a maior parte dos silos.

O segundo inconveniente deriva de uma vantagem aparente que permite que os males se agravem antes de serem percebidos. O trigo é um produto agrícola que não é encarecido pelos impostos no país produtor e, apesar de sua absoluta necessidade, tem sua quantidade diminuída sem que o preço aumente, o que faz com que muita gente morra de fome, embora o trigo continue a ser barato e que o trabalhador continue como o único responsável pelo imposto que ele não pode incluir no preço de venda. É importante salientar que a talha real não pode ser vista como aqueles direitos sobre todas as mercadorias que fazem aumentar o preço e que, portanto, são pagos não pelos vendedores, mas pelos compradores. Ora, esses direitos, por mais fortes que possam ser, são entretanto voluntários, e só são pagos proporcionalmente pelo vendedor em relação às mercadorias que compra; e, como ele só compra à medida que vende, é ele quem estabelece a lei para o particular. Mas o camponês – quer venda, quer não – que é obrigado a pagar pelo terreno que cultiva valores previamente determinados, não tem o direito de esperar que o seu produto alcance o preço que melhor lhe parecer? E, quando não puder vender seu produto para seu sustento, será forçado a fazê-lo para pagar a talha, de tal forma que algumas vezes é a enormidade da imposição que mantém o produto num preço aviltante.

Ainda é importante notar que os recursos do comércio e da indústria, longe de tornarem a talha mais suportável pela abundância do dinheiro, apenas a tornam mais onerosa. Não insistirei mais sobre uma coisa muito evidente, a saber, que, se a maior ou menor quantidade de dinheiro num

Estado pode, por um lado, dar-lhe maior ou menor crédito externo, por outro, não muda de forma real a sorte dos cidadãos, e nem proporciona uma vida fácil. Mas faço duas ressalvas importantes: uma, que, a menos que o Estado tenha provisões excedentes e que a abundância do dinheiro não resulte de seu débito com o exterior, as cidades onde há a prática do comércio sentem-se as únicas responsáveis por essa abundância e o camponês se torna relativamente mais pobre; a outra, que, quando o preço das coisas sobe em razão da multiplicação do dinheiro, é preciso que os impostos subam proporcionalmente, de modo que o trabalhador se encontre mais sobrecarregado sem aumentar seus recursos.

É preciso entender que a talha sobre as terras é um verdadeiro imposto sobre seu produto. Entretanto, todos concordam em que nada é tão perigoso quanto um imposto sobre o trigo pago pelo comprador: Como não ver então que o mal é cem vezes maior, quando o imposto é pago pelo próprio agricultor? Isso não é atacar a subsistência do Estado na sua origem, bem como trabalhar o mais diretamente possível para despovoar o país e, consequentemente, arruiná-lo em sua extensão? Não há pior penúria para uma nação que a penúria dos homens.

Só o verdadeiro homem de Estado pode visar à fixação da base tributária dos impostos de forma prioritária ao objeto das finanças, transformar taxas pesadas em regulamentos úteis de polícia[44], e fazer o povo duvidar se de tais medidas não se pode ter antes por objetivo o bem da nação, mais do que o produto das taxas.

Esse duplo objetivo será alcançado, se forem taxados os direitos sobre a importação de mercadorias estrangeiras, das quais os habitantes estão ávidos sem que o país tenha necessidade, a exportação de matérias-primas que o país não possui em quantidade e sem as quais os países estrangeiros não podem passar, a produção das artes inúteis e pouco lucrativas, a entrada nas cidades de coisas de puro lazer, e sobretudo os objetos de luxo. É por meio desses impostos que isentam a pobreza e sobrecarregam a riqueza, que é necessário prevenir o aumento contínuo da desigualdade das possibilidades, a submissão aos ricos de uma multidão de operários e servidores inúteis, a multiplicação de pessoas desocupadas nas cidades e a deserção nos campos.

É importante estabelecer uma tal proporção entre o preço das coisas e os direitos que lhe são atribuídos, que impeça a avidez dos particulares de fraude em razão do aumento dos seus benefícios. Também é preciso prevenir a facilidade do contrabando, preferindo-se as mercadorias mais difíceis de serem escondidas. Enfim, convém que o imposto seja pago muito mais por quem usa a coisa taxada do que por quem a vende, uma vez que isso tentaria e suscitaria formas de fraudar os direitos de que é encarregado. Essa é a prática constante na China, onde os impostos são os mais fortes e os mais bem pagos: o comerciante não paga nada, apenas o comprador adquire o direito, sem que isso resulte em murmúrios ou sedições; já que as provisões necessárias à vida, como o arroz e o trigo, estão totalmente isentas de impostos, o povo não é oprimido e o imposto recai apenas sobre as pessoas abastadas. De resto, todas essas precauções não devem tanto ser ditadas pelo temor ao contrabando, mas pela atenção que deve ter o governo em garantir os indivíduos da tentação dos rendimentos ilegítimos, que, depois de terem feito maus cidadãos, não tardarão em fazê-los pessoas desonestas.

Que se estabeleçam altas taxas sobre o vestuário, sobre os adereços, sobre os espelhos, os lustres e o mobiliário, sobre os tecidos e os dourados, sobre os átrios e os jardins das mansões, sobre toda espécie de espetáculos, sobre as profissões ociosas, como a das bailarinas, cantores e comediantes, em uma palavra sobre essa multidão de objetos de luxo, de diversão, de ociosidades que maravilham a todos e que, bem menos que outras coisas, não podem ocultar-se, já que só servem para ser mostradas e seriam inúteis, se não fossem vistas. Não se deve temer que tais impostos possam ser arbitrários, por recaírem sobre coisas que não são absolutamente necessárias: acreditar que os homens uma vez seduzidos pelo vício possam renunciar a ele, é conhecê-los muito mal; renunciarão cem vezes mais ao necessário e preferirão morrer de fome a de vergonha. O aumento da despesa é apenas mais uma razão para mantê-la, quando a vaidade da opulência tirar proveito do preço das coisas e dos encargos da taxa. Quanto mais ricos houver, mais eles quererão distinguir-se dos pobres, e o Estado não poderia ter um rendimento menos oneroso e mais seguro, a não ser sobre essa distinção.

Pela mesma razão, a indústria não tem nada a sofrer em uma ordem econômica que enriquecesse as finanças, reanimasse a agricultura, subsidiando o agricultor, e reaproximasse progressivamente todas as fortunas dessa mediania[45] que faz a verdadeira força de um Estado. Tenho que reconhecer que talvez os impostos contribuíssem para fazer passar mais rapidamente certos modismos, mas seria apenas para substituí-los por outros com os quais o trabalhador ganhasse, sem que o fisco tivesse nada a perder. Em uma palavra, suponhamos que o espírito do governo esteja em constantemente assentar todas as taxas sobre o supérfluo das riquezas. Das duas uma: ou os ricos renunciarão a suas despesas supérfluas, mantendo apenas as que são úteis e que reverterão em proveito do Estado, o que significa que a totalidade dos impostos produziu o efeito alcançado pelas melhores leis suntuárias[46], as despesas do Estado terão necessariamente diminuído com a dos particulares e dessa forma o que o fisco terá de desembolsar é o mesmo que terá recebido; ou então, se os ricos não diminuírem em nada seus excessos, o fisco terá no produto de seus impostos os recursos procurados para atender às necessidades reais do Estado. No primeiro caso, o fisco se enriquece através da despesa mínima a ser feita; no segundo, com a despesa inútil dos indivíduos.

Deve-se acrescentar a tudo isso uma importante distinção em matéria de direito público, à qual os governos ciosos de tudo fazer pelas próprias mãos deveriam dar uma grande atenção. Afirmei acima que as taxas pessoais e os impostos sobre as coisas de primeira necessidade, que digam respeito diretamente ao direito de propriedade e, consequentemente, ao verdadeiro fundamento da sociedade política, estão sujeitos a consequências perigosas, se não são com o expresso consentimento do povo ou de seus representantes. Não ocorre o mesmo com os direitos sobre aquelas coisas cujo uso pode ser proibido, uma vez que a contribuição do indivíduo, não sendo obrigado a pagar, pode passar voluntária; de modo que o consentimento particular de cada contribuinte substitui o consentimento geral e, de certo modo, até o pressupõe: pois, por que o povo se oporia a toda imposição que recaísse apenas sobre quem a quisesse pagar? Parece-me certo que tudo que não é nem prescrito pelas leis, nem contrário aos costumes e que o governo pode proibir, este pode permitir como um direito. Se, por exemplo, o governo pode proibir o uso de carruagens, com muito mais razão pode taxá-las, o que é um meio sábio e útil de reprimir o uso sem impedi-lo de vez. Assim, pode-se ver a taxa como uma espécie de multa, cujo produto indeniza do abuso que ela puniu.

Talvez alguém possa objetar que aqueles que Bodin chama de impostores[47], ou seja, aqueles que impõem ou criam as taxas, pertencendo à classe dos ricos, não se importarão de impô-las aos outros às suas próprias custas, e nem se encarregarão de socorrer os pobres. Mas é necessário rejeitar ideias desse tipo. Se, em cada nação, aqueles que estão encarregados pelo soberano do governo dos povos, são inimigos naturais, nem vale a pena procurar aquilo que devem fazer para torná-los felizes.

Notas

1. Ao discutir a economia no livro I da *Política*, Aristóteles afirma que é possível dividi-la em duas partes: a primeira trata da comunidade política e de suas relações com as outras comunidades; a segunda, da família e dos elementos que a compõem. A economia doméstica diz respeito à administração familiar, sendo, portanto, natural e visando apenas à sobrevivência, servindo ao aprimoramento das relações mútuas entre as partes constitutivas da família: pais e filhos, marido e mulher, senhor e escravo. Na *oikia* há um certo processo de aprendizagem que coloca sempre uma relação de mando em que alguns ainda não têm o logos que outros já detêm. Assim, a política não deve ser a somatória dessas relações nem pode pautar-se pela obediência, uma vez que na pólis a igualdade deve estar na base das relações. Rousseau retoma o conceito aristotélico de economia doméstica, para melhor mostrar a diferença entre a administração da casa e a do Estado.

2. CHEVALIER DE JAUCOURT. M. *Père de famille*. Tomo XII, 1765, p. 338.

3. Já no *Manuscrito de Genebra* (livro I, cap. I) Rousseau apontava para a necessidade da determinação da "natureza do corpo social", que é resultado de uma convenção e não uma evolução natural, não sendo possível por essa razão a noção de uma "sociedade natural e geral do gênero humano" pelo seu caráter coletivo diverso de uma união real. Também em outros textos (*Contrato social*. Livro I, cap. 2. • *Ensaio sobre a origem das línguas*, cap. X), além do *Discurso sobre a economia política*, Rousseau retoma essa questão da impossibilidade de comparação entre a natureza da família e a do corpo social, não havendo uma passagem natural de um estado ao outro.

4. O legítimo fundamento da sociedade civil é a convenção, e o governante deve pautar-se apenas pela lei, tendo como único objetivo o bem público.

5. Em textos posteriores, Rousseau dissociará a noção de "reconhecimento" da noção de "obediência".

6. Também em outros textos, Rousseau rejeita o direito de escravidão como algo nulo e contraditório: "Assim, qualquer que seja a forma de analisar a questão, o direito de ter escravo é nulo. não apenas porque é ilegítimo, mas também porque é absurdo e não significa nada. As palavras *escravidão* e *direito* são contraditórias, excluindo-se mutuamente. Esse discurso será sempre igualmente insensato, seja de um homem em relação a outro homem, seja de um homem em relação a um povo. *Faço contigo uma convenção cujos encargos são teus e da qual eu desfrutarei, que observarei quando me aprouver e que tu observarás! sempre que eu queira*" (C.S. Livro I, cap. IV, p. 77).

7. A monarquia hereditária de Adão e dos patriarcas, a origem divina do poder real e a identidade entre o poder do governante e o do pai, são algumas das proposições defendidas por Sir Robert Filmer em seu texto *Patriarcha, or the Natural Power of Kings*. Londres: R. Chiswell, 1680, cap. I, p. 12-13: "Não vejo como os filhos de *Adão*, ou de qualquer outro homem, podem estar livres da submissão a seus *pais*, sendo essa submissão dos filhos a fonte de toda *autoridade real*, por ordem do próprio Deus. Segue-se que o poder civil é, de maneira geral, não só uma instituição divina, como o seu exercício é uma tarefa especificamente designada para os antigos pais, o que remove aquela distinção nova e comum que atribui apenas poder universal e absoluto a Deus; mas o poder respectivo deve ter em vista a forma especial de governo de escolha do povo. Essa autoridade, que por ordenação tinha *Adão* sobre todo o mundo, e por direito vindo dele tiveram os *patriarcas*, foi tão grande e ampla quanto o mais absoluto domínio que qualquer *monarca* já tenha exercido desde a criação".

Os dois autores que refutaram essa obra e aos quais Rousseau se refere são Algernon Sidney (*Discourses Concerning Government*. Londres, 1698) John Locke (*The First Treatise of the Civil Government*. Churchill, 1690).

Outros autores também contribuíram significativamente para essa teoria da identificação entre o poder paternal e o poder real, como Ramsay e Bossuet, e, através dos comentários de Barbeyrac, Rousseau teve contato com o pensamento deste último, onde aparece com precisão a ideia da identidade dos deveres de um rei em relação a seu povo e dos de um pai em relação a seus filhos, bem como da instituição divina do poder real: "Desde a origem do mundo, Deus disse a Eva e por meio dela a todas as mulheres: 'Tu permanecerás sob o poder do homem e ele te comandará'. [...] Deus, ao ter colocado em nossos pais uma imagem do poder pelo qual Ele tudo fez, transmitiu-lhes também uma imagem do poder que Ele tem sobre suas obras, como se fossem de algum modo os autores de nossa vida. [...] os homens tiveram a primeira ideia de comando e de autoridade humana a partir da autoridade paterna. Então, a partir disso, pode-se dizer que o nome de rei corresponde ao do pai e que a bondade é a característica mais natural dos reis" (BOSSUET, J.B. "Politique tirée des propres paroles de L'Écriture Sainte". *Oeuvres*. Tomo I. Paris: Firmin Didot Frères Libraires, 1841, liv. II, art. I, prop. III; liv. III, art. III, p. 316 e 325).

8. Rousseau traduz o termo grego Πολιτικος no seu sentido mais comumente empregado – *Políticas* (*Politiques*) e preferido pelo próprio Aristóteles ao se referir à sua obra – embora o texto aristotélico seja mais conhecido por *Politique* (*Política*). Rousseau refere-se sobretudo à frase: "Todos aqueles que acreditam que magistrado, rei, chefe de família e senhor de escravos são uma única e mesma noção, exprimem-se de forma incorreta: na verdade, imaginam que essas diversas formas de autoridade diferem apenas pelo número maior ou menor de indivíduos que aí se encontram submetidos, mas que não existe entre elas nenhuma diferença específica" (ARISTOTE. *Politique*. Vol. I. Paris: Les Belles Lettres, 1960, cap. I, 2, 1252a5, p. 12 [Ed. bilíngue, traduzida por Jean Aubonnet]).

9. Rousseau diferencia as expressões "executivo/legislativo" e "executor/legislador", a primeira usada como adjetivo e a segunda como substantivo. Não se trata de preciosidades de escritor, mas de clara referência ao uso dessas expressões no *Espírito das leis*, embora Montesquieu às vezes use indistintamente os termos: "Há três tipos de poderes em cada Estado: o poder legislativo, o poder executor das coisas que dependem do direito das gentes, e o poder executor daquelas que dependem do direito civil. Através da primeira, o príncipe ou o magistrado faz leis para uma época determinada ou para sempre, e corrige ou revoga as que já existem. Através da segunda, faz a paz ou a guerra, envia ou recebe embaixadores, estabelece a segurança, previne as invasões. Através da terceira, pune os

crimes ou julga as contendas entre os particulares. A esta última chama-se o poder de julgar, e à outra, apenas, o poder executor do Estado" (MONTESQUIEU. "De l'esprit des lois". *Oeuvres completes*. Paris: Seuil, 1964, p. 586).

10. Cf. nota 2, CHEVALIER DE JAUCOURT, M. Tomo XV, 1765, p. 425: "Para que se possa entender que a natureza da *soberania* consiste principalmente em duas coisas, afirmo, inicialmente, que soberania é o direito de comandar na sociedade como última instância. A primeira consiste no direito de comandar os membros da sociedade, ou seja, de dirigir suas ações com autoridade ou com poder de repressão; a segunda, é que o direito deve ser o último recurso, de tal forma que todos os particulares sejam obrigados a se submeterem a ele, sem que ninguém possa resistir-lhe".

11. Neste texto Rousseau é influenciado pela noção de Hobbes exposta no *Leviatã*, onde o Estado é comparado ao homem artificial: "A arte (*dos homens*) vai ainda mais longe, ao imitar aquela criatura racional e a mais excelente obra da natureza: o *homem*. Por meio da arte é criado esse grande LEVIATÃ, que se chama REPÚBLICA ou ESTADO (em latim *Chivitas*), que é apenas um homem artificial – embora com maior estatura e força do que o homem natural – e que foi concebido para sua proteção e defesa. Nele, a soberania é uma alma artificial, dando vida e movimento a todo o corpo" (HOBBES, T. *Leviathan, or, Matter, Form, and Power of a Commonwealth Ecclesiastical and Civil*. William Benton Publisher. Encyclopedia Britannica, vol. 23, 1952, p. 47 [Col. "The Great Books of the Western World"]).

12. A concepção de seres morais de Pufendorf certamente influenciou Rousseau: "Portanto, na minha opinião, a definição mais exata que se pode dar de SERES MORAIS é a seguinte: trata-se de certos modos que os seres inteligentes acrescentam às coisas naturais ou aos movimentos físicos, procurando dirigir e restringir a liberdade das ações voluntárias do homem, com o objetivo de colocar ordem, conveniência e beleza na vida humana" (PUFENDORF, S. *Le droit de nature et des gens*. Liv. I, cap. III, 3, 1740, p. 3 [Trad. Jean Barbeyrac]).

13. Xenofonte (*Rep. Lac.*, 2, 8) informa que em Esparta as crianças eram punidas não por roubar, mas por não saberem dissimular o roubo.

14. Como observa R. Derathé nas notas da *Pléiade*, Rousseau remete nesse texto à distinção que

Hobbes estabelece entre *lei natural* e lei civil: "Definindo, portanto, *lei natural* é um ditame da reta razão sobre as coisas a fazer ou omitir para garantir-se, quanto possível, a preservação da vida e das partes do corpo. [...] O *roubo*, o *homicídio, o adultério*, e toda sorte de *injúrias*, são proibidos pelas leis da natureza, mas o que se deve chamar, num cidadão, roubo, homicídio, adultério, ou injúria, será determinado não pela *lei natural*, mas pela *lei civil*. Nem toda ação de tomar uma coisa que outro possui é roubo, mas somente quando é ação de tomar um bem *alheio*. Compete à *lei civil* dizer o que é *nosso* e o que é *alheio*. Igualmente, nem toda ação de dar morte a um homem é homicídio, mas somente a morte daquele que é proibido pela *lei civil*: nem toda união carnal com mulheres é *adultério*, mas só a que as leis civis proíbem. Finalmente, a violação de uma promessa é *injúria* quando o prometido é lícito; onde não há *direito* de fazer pacto, aí nenhuma transação legítima existe, por isso também não resulta injúria alguma, como foi dito no capítulo segundo, artigo 17. Mas o que podemos pactuar e o que não podemos, depende da lei civil" (HOBBES, T. De cive. Primeira secção, cap. II, 1; Segunda Secção, cap. VI, 16).

15. DIDEROT. *Droit Naturel*. Tomo V, 1754, p. 132-134.

16. Cícero aborda com precisão a concepção estoica de cosmopolitismo: "Esse espírito de associação está totalmente desenvolvido no homem, esse ser chamado pela natureza a formar sociedades, povos, cidades. De acordo com a doutrina dos estoicos, o mundo é regido pela providência dos deuses, é como se fosse a residência comum, a cidade dos deuses e dos homens, e cada um de nós é parte desse mundo; a consequência natural dessa concepção é que devemos colocar o interesse da comunidade à frente do nosso" (CICERONIS, M.T. *De Finibus Bonorum et Malorum*, livro III, XIX, 64. • LONDINI, A.J. & VALPY A.M., 1830, p. 277). Cf. a respeito desse confronto entre a ideia de sociedade geral, estado civil e estado de natureza que Rousseau estabelece nestas primeiras páginas, em meio à reflexão sobre a economia política proposta pelo DEP, e à qual já nos referimos em notas anteriores, o excelente artigo de Patrick Hochart ("Droit Naturel et Simulacre". *Cahiers pour l'Analyse*, n. 8, 1972. Paris: Seuil).

17. Cf. nota 15.

18. Todo Estado dirigido pela vontade geral é legítimo, por oposição ao tirânico, que se pauta pela vontade de um homem.

19. Rousseau concorda com Locke, quando este se refere aos objetivos da propriedade na sociedade civil: "Se o homem é tão livre no estado de natureza, como se tem dito, se ele é o senhor absoluto de sua própria pessoa e de seus bens, igual aos maiores e súdito de ninguém, por que renunciaria à sua liberdade, a esse império, para sujeitar-se à dominação e ao controle de qualquer outro poder? A resposta é evidente: ainda que no estado de natureza ele tenha tantos direitos, o gozo deles é muito precário e constantemente exposto às invasões de outros. Todos são tão reis quanto eles, todos são iguais, mas a maior parte não respeita estritamente, nem a igualdade nem a justiça, o que torna o gozo da propriedade que ele possui nesse estado muito perigoso e muito inseguro. Isso faz com que ele deseje abandonar essa condição. Embora livre, está repleto de medos e perigos contínuos. E não é sem razão que ele solicita e deseja unir-se em sociedade com outros, que já estão reunidos ou que planejam unir-se, visando à salvaguarda mútua de suas vidas, liberdades e bens, que se designam pelo nome geral de propriedade" (LOCKE, J. Op. cit., cap. IX, p. 123 [Também este faz parte dessa coleção; cf. vol. 14]).

20. *Policé* significa provido de leis, isto é, trata-se da organização da cidade, das suas instituições políticas. "Essa palavra deriva de Πόλις, *cidade*, a partir da qual os gregos criaram ΠολιΠεἰα e nós *polícia*. [...] As leis são regras de conduta extraídas da reta razão e da equidade natural que os bons seguem de forma voluntária, e às quais os infratores são coagidos pela força a se submeterem, ao menos em aparência. Entre as leis, umas se ocupam do bem geral da sociedade, as outras têm por objetivo o bem dos particulares. O conhecimento das primeiras é o que chamamos de ciência do direito público. O conhecimento das outras é objeto da ciência do direito privado. Os gregos chamavam de *polícia* ao primeiro tipo. [...] Entre nós, o termo *polícia* é usado apenas no último sentido" (DIDEROT, "Police". *Encyclopédie*. Tomo XII, 1765, p. 904). De acordo com o verbete "Police" do *Dictionnaire du Français Classique* (Paris: Larousse, 1988, p. 426), "o sentido atual de órgão garantidor da manutenção da ordem pública apareceu apenas ao final do século XVII".

21. Trata-se de um diálogo entre Clínias e o Ateniense:

"*O ateniense*: Será que o nosso recomendado para cuidar da legislação não põe nada desse gênero à frente de suas leis, porém declara, de entrada, o que é preciso fazer ou evitar, e, depois de começar com castigos, passa a tratar de outra lei, sem acrescentar a menor fórmula de encorajamento ou de persuasão para os diretamente interessados em sua atividade legiferante? Nesse particular, procederia como os médicos: este nos trata de um modo; aquele, de outro, conforme a ocasião. Recordemos então as duas maneiras de tratar, para depois pedirmos ao legislador o que as crianças pedem ao médico: curá-las pelo método mais brando" (PLATÃO. "Leis". *Diálogos*. Vol. XII-XIII, livro IV, 719 e 720, 1980, p. 130-131 [Trad. Carlos Alberto Nunes, Universidade Federal do Pará]).

22. Com razão R. Derathé nas suas notas da *Pléiade* lembra a influência das ideias de Montesquieu neste trecho do texto de Rousseau, principalmente da sexta parte do *L'Esprit des lois*. É importante acrescentar que a influência não se limita à relação entre a eficiência e a sabedoria das leis, mas também ao papel da lei na liberdade política, nas suas relações com o clima, os povos e os costumes.

23. Para Rousseau, economia política e autoridade política são coisas diferentes: a primeira representa o poder de assegurar a execução das leis, tratando-se, portanto, do governo; enquanto a segunda é o poder de fazer as leis, representando assim a autoridade suprema ou a soberania.

24. Cf. nota 20.

25. Em Roma eram as leis que regulavam as despesas, restringindo principalmente os gastos com tudo que era supérfluo, i.e., o luxo. Tibério, por exemplo, afastou-se gradativamente da aplicação estrita dessas leis, por conta da sua ineficiência. Em um sentido lato, significam as leis relativas às despesas. Novamente a influência de Montesquieu é perceptível: "O luxo sempre é proporcional à desigualdade das fortunas. Se, em um Estado, as riquezas são divididas igualmente, não haverá luxo, uma vez que esse está fundado nas comodidades obtidas com o trabalho alheio. [...] de onde se conclui que, quanto menos houver luxo em uma república, mais ela será perfeita" (Op. cit., livro VII, cap. I e II, p. 564-565).

26. Essa afirmação reaparece em *Du contrat social* de forma mais explícita: livro II, cap. XII.

27. Para Aristóteles, a equidade é a "disposição de caráter que é uma espécie de justiça" (*Ética a Nicômaco*. Livro V, 1138a) e que, portanto, é superior à justiça legal. O homem equitativo respeitará a proporção e, portanto, o princípio racional, por isso não é possível ser injusto consigo mesmo.

28. Em Roma, durante a realeza, a pena de morte era aplicada com frequência, não só no direito de guerra como no direito público. Mas, durante o período republicano, aumentaram as limitações quanto à aplicação da pena capital ao cidadão nos limites da cidade, embora o poder do general de aplicá-la ao cidadão romano ainda se estendesse por muitos séculos. A lei Porcia – ou melhor, as leis *Porcia*, já que foram mais do que uma – contribuiu significativamente para essa mudança:

Porcia (L. Licini?) de tergo civium – 184 a.C.

Porcia (P. Laecae) de tergo civium – 195 a.C.

Porcia de sumptu provinciali – 195 a.C.

Porcia (M. Catonis) de tergo civium – 198 a.C.

Fonte: MOMMSEN, T. *Le Droit Penal Romain*. Tomo I. Paris: Albert Fontemoing, 1907, p. 34-35, 52-53 [Trad. J. Duquesne].

29. Essa coroa a que Rousseau se refere é a coroa de louros, que era o símbolo da glória militar e poética. A principal espécie utilizada era o *laurus nobilis*, também conhecido como *louro de Apolo*. Na Antiguidade, os poetas, os generais e os imperadores eram coroados com essa honraria.

30. No original, *médiocrité* (mediocridade). De acordo com o *Dictionnaire du Français Classique* – XVIIe siècle (Paris: Larousse, 1988, p. 357) não se trata do sentido pejorativo hoje atribuído ao vocábulo, mas da "condição mediana, do justo meio"; também o adjetivo, *mediocre*, diz respeito a tudo "que é de um nível médio, de uma qualidade média, que é de condição social média". No *Caldas Aulete* (Vol. 3. Rio de Janeiro: Delta, p. 3.188) há também uma referência ao significado dessa palavra como "termo médio [...] Classe média da sociedade, burguesia [...] O estado médio entre a riqueza e a pobreza".

Essa noção já estava presente em Aristóteles (*Política*, II, 6, 1265a30) quando esse autor se referia à "temperança do homem livre no uso de seu patrimônio", ao examinar as *Leis* de Platão.

Também Horácio, em uma de suas odes dedicadas a Licinius Murena, quando da perda de seus bens confiscados após as guerras civis, refere-se à *aurea mediocritas*: "Licínio, viverás de forma mais reta, nem sempre sulcando o alto-mar, nem ousadamente navegando a iníqua praia, enquanto receoso temes as tempestades. Quem ama preferencialmente uma existência equilibrada (*mediocridade*), vive sem inquietude e sem ambição, isento do que há de sórdido sob um teto e uma casa envelhecida e não carecendo de ambicionar a magnificência de um recinto" (QUINTUS HORATIUS FLACCUS. *Odes*. Lisboa: Typographia Rolandiana, 1867, p. 117-119).

Essa ideia reaparece em outros textos de Rousseau: a) no *Du contrat social*, II, cap. XI; b) nas *Lettres ecrites de la Montagne*. Lettre IX, p. 890: "O rico tem a lei na sua bolsa, e o pobre prefere o pão à liberdade".

Logo, não se trata de um significado pejorativo, mas do justo meio entre a riqueza e a miséria, e que procura ressaltar essa parcela da população que tem mais ou menos os mesmos recursos, a mesma situação social, evitando-se assim a riqueza opulenta e a miséria humilhante. Essa ideia também está presente em Montesquieu (Op. cit. Liv. I, cap. III).

31. Embora essa expressão tenha tido um significado específico na Roma antiga, preferimos não traduzi-la por uma expressão mais atual – coletor de impostos, por exemplo, como faz o tradutor espanhol – uma vez que Rousseau parece usá-la intencionalmente visando ressaltar a força do seu significado. Os publicanos e os *negotiatores* contribuíram de forma significativa para o enriquecimento de Roma e de toda a península, uma vez que, agindo em união com a República, trouxeram riquezas significativas para essas regiões, enquanto outras empobreciam. "Em meio à multidão desses *negotiatores*, destacam-se os agentes das sociedades de publicanos. *Publicani*: os que se ocupam com os *publica*, isto é, com negócios financeiros do Estado, os que se tornam rendeiros deste, para receber suas receitas, explorar seus domínios, executar seus trabalhos, providenciar abastecimento a seus exércitos etc. Na verdade, o nome aplica-se aos grandes contratadores que devem pôr em ação toda uma organização de auxiliares e conceder empréstimos importantes: o crescimento dos negócios do Estado e a relutância deste em criar para si uma administração que lhe permita recorrer a peque-

nos contratadores explicam porque lhes cabe posição tão importante. Na verdade, também, o termo equivale a 'cavaleiros', por todos os verdadeiros publicanos pertencerem a essa classe social a que pertencem os mais ricos membros" (JEANNIN, A.A. & AUBOYER. "Roma e seu império". In: CROUZET, M. *História geral das civilizações*. Vol. 3. São Paulo: Difel, 1963, p. 160 [Trad. Pedro M. Campos]).

32. *Policé*, no original. Cf. nota 20.

33. Victor Goldschmidt, em seu livro *Anthropologie et politique – Les principes du système de Rousseau* (Paris: Vrin, 1974, p. 498-508), afirma que as duas soluções mais importantes da origem do direito de propriedade e que contribuíram para a reflexão de Rousseau são as de Locke e de Pufendorf, sendo que ambas têm em comum a precedência das doutrinas de Hobbes e Filmer.

34. PUFENDORF, S. Op. cit. IV, cap. X, 4. p. 5-6: "[...] uma vez que aquilo que se chama de propriedade só interessa aos homens, enquanto estão vivos, e como os mortos não têm mais qualquer participação nas coisas deste mundo, não é necessário que o estabelecimento da propriedade se estenda para dar ao proprietário o poder de escolher quem lhe parece bom para herdá-lo nos bens que deixa ao morrer: é suficiente que cada um disponha dos bens durante sua vida. deixando aos que continuarem vivos a tarefa de fazer com eles aquilo que julgarem melhor, quando não mais estiver presente".

35. Em *Du contrat social* (Livro II, cap. II) Rousseau define o legislador como o espírito público ou a alma que preside à fundação do Estado.

36. "Portanto, é necessário determinar em toda república que as finanças estejam assentadas e asseguradas sobre um fundamento certo e durável" (BODIN, J. *Les six livres de la République*. Livro VI. Paris: Fayard, 1986, cap. II, p. 36).

37. Podemos traduzir essa expressão por "alimenta e enriquece".

38. Rousseau retoma a ideia de Maquiavel da necessidade da criação de milícias nacionais: "Então, pode-se concluir que nenhum principado está seguro, sem que existam armas próprias, permanecendo sujeito à fortuna, não existindo nele *virtù* que o defenda com empenho na adversidade. [...] E as armas próprias são aquelas que são compostas ou por súditos ou por cidadãos ou pelos agregados: todos os outros, ou são mercenários ou são auxi-

liares" (MACHIAVELLI, N. *Il principe*. Turim: Loescher 1972, cap. XIII, p. 55).

39. Mesmo que não de forma explícita, o pensamento de Locke está mais uma vez presente; não só Rousseau concorda que um dos objetivos do contrato social é a manutenção da propriedade, como também realça a necessidade do consentimento dos membros de uma sociedade, para que se possam estabelecer impostos, embora não defenda o governo representativo como Locke: "É verdade que os governos não poderiam subsistir sem os grandes encargos, e é justo que todo aquele que desfruta de uma parcela de sua proteção contribua para sua manutenção com uma parte correspondente de seus bens. Entretanto, mais uma vez é preciso que ela mesma dê o seu consentimento, ou seja, que a maioria consinta, seja por manifestação direta, seja pela intermediação de representantes de sua escolha. Se qualquer um reivindicar o poder de estabelecer impostos e impô-los ao povo por sua própria autoridade e sem total consentimento do povo, está assim invadindo a lei fundamental da propriedade e subvertendo a finalidade do governo. Como posso me dizer proprietário de algo que outra pessoa possa por direito tomar quando bem entender?" (LOCKE, J. Op. cit., cap. XI, p. 140).

É importante lembrar, que Rousseau não fala da maioria como Locke, mas da totalidade do corpo social, expressa pela vontade geral.

40. Capitação deriva do latim *capitatio*, de *caput, capitis* (cabeça), imposto, taxa por cabeça. Em Roma, foi uma das formas mais importantes de impostos. A partir de Diocleciano foi instituída a *capitatio terrena* ou imposto territorial sobre os proprietários, e a *capitatio humana* ou plebeia, incidindo principalmente sobre os colonos. A talha sucedeu à capitação romana. Na época feudal, confundiu-se com o direito pago pelos servos ao senhor, criando-se assim o direito de capitação. À época de Luís XIV foi incluída entre os impostos públicos, tendo sido estabelecida em 1695 e suprimida em 1698 após o Tratado de Riswick, e restabelecida em 1701. Além disso, foi mantida como imposição extraordinária.

41. Corveia – baixo latim *comigata*, de *cum* (com) e *rogare* (pedir). Serviço coletivo pedido pelo senhor: jornada de trabalho gratuita, que o servo, o camponês e o arrendatário lhe deviam. Por extensão, recebe

o nome de corveia todo pequeno trabalho que os operários vão fazer na cidade; trabalhos, demandas, obrigações penosas ou fastidiosas. *Corvée à merci* – a obrigação não estava determinada pela condição do *corveable*, e dependia da vontade do senhor. No direito antigo, consistia em serviços braçais devidos por certas pessoas. Na época feudal pesava sobre os servos e os arrendatários que deviam aos seus senhores certas jornadas de trabalho, dentro de condições determinadas pelos usos locais. A princípio, os servos eram *corveables à merci*, mas logo os seus serviços se tornaram fixos, seja pela via do abono, seja pela do costume. Na época monárquica, a corveia real foi uma prestação em natura em dias de trabalho, imposta aos *taillables* dos campos, para a construção ou a manutenção das estradas. Era de dois tipos: pessoal ou real. A primeira atingia os arrendatários, proprietários ou não; a segunda, os proprietários que podiam quitá-la por um terço. Na noite de 4 de agosto de 1789, a Assembleia Constituinte aboliu as corveias e "levou a alegria e a esperança aos corações habitantes dos campos", segundo Mirabeau.

42. No direito antigo, a princípio, a talha foi um imposto aplicado pelos senhores sobre os arrendatários e os servos, e incidia tanto sobre a importância de suas posses quanto sobre o conjunto dos seus ganhos. Inicialmente a quantia podia ser ilimitada, sendo depois fixada por convenção (as *tailles abonnés*). A talha real era um imposto direto cobrado a favor do rei. Filipe, o Belo, iniciou sua cobrança de forma extraordinária em nome das necessidades da guerra, tendo-se tornado permanente após a Guerra dos Cem Anos; funcionava como um imposto de repartição: o rei fixava a cada ano o montante, que era repartido entre as *généralités*, em cada *généralité* entre as *élections* e em cada *élection* entre as paróquias, em que a cota de cada contribuinte era estabelecida pelos *asséeurs* ou *asséleurs* (o papel da *taille*). A talha era ordinariamente pessoal, quer dizer, baseada sobre o provento total presumido de cada um. As reclamações originadas de sua aplicação eram julgadas em primeira instância pelos eleitos, e, em apelação, pelas cortes de ajuda (*aides*). O imposto da talha dava lugar a graves críticas, porque era muito arbitrário e sobretudo aplicado de forma desigual entre os habitantes e as províncias, pois os nobres, o clero, certos funcionários e algumas cidades poderiam ficar isentos. A Revolução determinou o fim de sua aplicação.

43. Rousseau refere-se a Jean Chardin (1643-1713), autor de um livro sobre a Pérsia: *Viagem à Pérsia e às Índias Orientais*, de 1711.

44. Cf. nota 20.

45. *Aurea Mediocritas* – Cf. nota 30.

46. Cf. nota 25.

47. A tradução literal da terminologia usada por Rousseau exprime melhor o significado e a força de cada uma das palavras, que ele parece claramente querer ressaltar: *Imposteur* do baixo latim *impostor*, de *imponere*. *Imposition*, do lat. *impositio*: impor uma contribuição. *Impôt*, do lat. *Imposilium*, part. passado de *imponere*.

Bodin refere-se aos impostores como os "inventores de novos impostos". Cf. BODIN. Op. cit. Livro VI, cap. 2.

Vozes de Bolso

- *Assim falava Zaratustra* – Friedrich Nietzsche
- *O príncipe* – Nicolau Maquiavel
- *Confissões* – Santo Agostinho
- *Brasil: nunca mais* – Mitra Arquidiocesana de São Paulo
- *A arte da guerra* – Sun Tzu
- *O conceito de angústia* – Søren Aabye Kierkegaard
- *Manifesto do Partido Comunista* – Friedrich Engels e Karl Marx
- *Imitação de Cristo* – Tomás de Kempis
- *O homem à procura de si mesmo* – Rollo May
- *O existencialismo é um humanismo* – Jean-Paul Sartre
- *Além do bem e do mal* – Friedrich Nietzsche
- *O abolicionismo* – Joaquim Nabuco
- *Filoteia* – São Francisco de Sales
- *Jesus Cristo Libertador* – Leonardo Boff
- *A Cidade de Deus* – Parte I – Santo Agostinho
- *A Cidade de Deus* – Parte II – Santo Agostinho
- *O conceito de ironia constantemente referido a Sócrates* – Søren Aabye Kierkegaard
- *Tratado sobre a clemência* – Sêneca
- *O ente e a essência* – Tomás de Aquino
- *Sobre a potencialidade da alma* – De quantitate animae – Santo Agostinho
- *Sobre a vida feliz* – Santo Agostinho
- *Contra os acadêmicos* – Santo Agostinho
- *A Cidade do Sol* – Tommaso Campanella
- *Crepúsculo dos ídolos ou Como se filosofa com o martelo* – Friedrich Nietzsche
- *A essência da filosofia* – Wilhelm Dilthey
- *Elogio da loucura* – Erasmo de Roterdã
- *Linguagem corporal em 30 minutos* – Monika Matschnig
- *Utopia* – Thomas Morus
- *Do contrato social* – Jean-Jacques Rousseau
- *Discurso sobre a economia política* – Jean-Jacques Rousseau
- *Vontade de potência* – Friedrich Nietzsche
- *A genealogia da moral* – Friedrich Nietzsche
- *O banquete* – Platão
- *Os pensadores originários* – Anaximandro, Parmênides, Heráclito
- *A arte de ter razão* – Arthur Schopenhauer
- *Discurso sobre o método* – René Descartes
- *Que é isto – A filosofia?* – Martin Heidegger
- *Identidade e diferença* – Martin Heidegger
- *Sobre a mentira* – Santo Agostinho
- *Da arte da guerra* – Nicolau Maquiavel

CATEQUÉTICO PASTORAL
Catequese – Pastoral
Ensino religioso

CULTURAL
Administração – Antropologia – Biografias
Comunicação – Dinâmicas e Jogos
Ecologia e Meio Ambiente – Educação e Pedagogia
Filosofia – História – Letras e Literatura
Obras de referência – Política – Psicologia
Saúde e Nutrição – Serviço Social e Trabalho
Sociologia

TEOLÓGICO ESPIRITUAL
Biografias – Devocionários – Espiritualidade e Mística
Espiritualidade Mariana – Franciscanismo
Autoconhecimento – Liturgia – Obras de referência
Sagrada Escritura e Livros Apócrifos – Teologia

REVISTAS
Concilium – Estudos Bíblicos
Grande Sinal
REB – SEDOC

PRODUTOS SAZONAIS
Folhinha do Sagrado Coração de Jesus
Calendário de mesa do Sagrado Coração de Jesus
Agenda do Sagrado Coração de Jesus
Almanaque Santo Antônio – Agendinha
Diário Vozes – Meditações para o dia a dia
Encontro diário com Deus
Guia Litúrgico

VOZES NOBILIS
Uma linha editorial especial, com importantes autores, alto valor agregado e qualidade superior.

VOZES DE BOLSO
Obras clássicas de Ciências Humanas em formato de bolso.

CADASTRE-SE
www.vozes.com.br

EDITORA VOZES LTDA.
Rua Frei Luís, 100 – Centro – Cep 25689-900 – Petrópolis, RJ
Tel.: (24) 2233-9000 – Fax: (24) 2231-4676 – E-mail: vendas@vozes.com.br

UNIDADES NO BRASIL: Belo Horizonte, MG – Brasília, DF – Campinas, SP – Cuiabá, MT
Curitiba, PR – Fortaleza, CE – Goiânia, GO – Juiz de Fora, MG
Manaus, AM – Petrópolis, RJ – Porto Alegre, RS – Recife, PE – Rio de Janeiro, RJ
Salvador, BA – São Paulo, SP